PEE EN IK

elke dag een topdag...

Korte verhalen over het dagelijks leven
met de ziekte van Parkinson

KINMERC

Dirma van Toorn

Voor Veronique
'Climb every mountain'

Aan de lezer,

“Zie elke hindernis in het leven als een uitdaging,
een enorme berg.

Beklim die berg, stap voor stap, om je levensdoelen te bereiken.

Wees standvastig en vastberaden,
laat je door niets en niemand weerhouden.

Je zult beloond worden met de benodigde wind,
en het leven gaan ervaren
als een varend schip met volle zeilen”.

Een boek als lotgenoot

De Parkinson Patiënten Vereniging (PPV) en het Prinses Beatrix Fonds juichen de uitgave van het boek *Pee en ik* bijzonder toe. Dirma van Toorn heeft voor parkinsonpatiënten en voor andere geïnteresseerden de ervaringen met haar ziekte op een bijzondere manier weergegeven. Zij doet dat met humor en een positieve inslag. Dat geeft steun én bemoediging. Patiënten hebben daar behoefte aan.

De ziekte van Parkinson zal de komende jaren aanzienlijk toenemen, van 50.000 patiënten nu tot naar verwachting 75.000 in 2025. Dat betekent een loodzware last, op de allereerste plaats voor de patiënt, maar evenzeer voor de partner, voor familie en vrienden.

Daarin kan de PPV een enorme steun zijn. De vereniging is opgericht in 1977 en viert dit jaar haar 30-jarig bestaan. De PPV heeft zich in de afgelopen jaren een plaats verworven in ons maatschappelijk leven. Mede dankzij haar inspanningen is de patiënt niet langer onmondig, maar een volwaardige gesprekspartner. Ook draagt de vereniging bij aan het scheppen van mogelijkheden voor mensen met de ziekte van Parkinson. En verder bevordert de PPV de zorg voor parkinsonpatiënten, behartigt zij hun belangen en spant zij zich in om de kennis van en het begrip voor de verschillende aspecten van de ziekte van Parkinson te vergroten. Dit gebeurt onder meer door lotgenotencontacten en door het verstrekken van informatie. De PPV is één van de belangenverenigingen die worden gesteund door het Prinses Beatrix Fonds en die met dit Fonds samenwerken.

Ook is veel onderzoek nodig naar de oorzaken van Parkinson, naar nieuwe behandelingen én zorg om de kwaliteit van leven te verbeteren. Daarvoor zet het Prinses Beatrix Fonds zich al meer dan 50 jaar in.

Het boek *Pee en ik* biedt positieve herkenning en steun en kan daarmee veel voor parkinsonpatiënten en hun omgeving betekenen.

Sacha Felix-Kiestra
adjunct-directeur
Prinses Beatrix Fonds

Prinses Beatrix Fonds
voor spierziekten, Parkinson, Huntington, MS, polio en spasticiteit

Otto Bielars
voorzitter
Parkinson Patiënten Vereniging

Inhoud

Inleiding

De ziekte van Parkinson is een van de meest voorkomende chronische aandoeningen van het zenuwstelsel. De meest bekende verschijnselen zijn motorische klachten zoals traagheid, stijfheid en beven. Minder bekend zijn de talloze niet-motorische klachten. Ik noem er slechts enkele: slikproblemen, overmatige speekselvloed, constipatie, vermoeidheid, reukstoornis, angst, incontinentie, slaapstoornissen, depressie en hallucinaties. Nog minder bekend maar ook minder vaak voorkomend is de ziekelijke neiging tot gokken en seksuele hyperactiviteit.

Parkinson is een progressief invaliderende ziekte, die niet alleen voorkomt bij ouderen maar ook steeds meer bij jongeren.
Er bestaat nog geen genezing voor deze ziekte. Medicijnen vormen op dit moment de belangrijkste remedie. Daarnaast zijn er aanvullende therapieën zoals logopedie, fysio-, ergo-, cesar- of mensendiecktherapie. Als medicijnen niet meer voldoende werken kan gekozen worden voor een stereotactische operatie. Zo'n hersenoperatie wordt steeds vaker met succes uitgevoerd.

Zelf kreeg ik twee jaar geleden te maken met Parkinson. Na het onverwachte overlijden van mijn moeder, die bij ons inwoonde, knakte ik van de ene op de andere dag. Ik was dodelijk vermoeid van het vele huilen, kortademig, liep als een robot, trilde als een espenblad en viel van links naar rechts. Wanneer ik de hond ging uitlaten verwonderde ik me dat zo weinig mensen nog gedag zeiden. Maar als ik in de spiegel keek, schrok ik van mezelf. Ik durfde geen winkel meer binnen, en ook autorijden deed ik niet meer. Ik had de pech dat familie en beste vrienden te ver weg woonden. Al gauw kwam ik nergens meer, sprak ook niemand meer overdag.

Mijn huisarts was heel begripvol, zag mijn enorme verdriet en stuurde me door naar een fysiotherapeut voor ontspanningsoefeningen en conditietraining. Na een maand vroeg de therapeut hoe ik me voelde. Hij maakte zich zorgen over mijn manier van lopen en vallen. Opperde heel voorzichtig of ik wel eens aan Parkinson had gedacht? Ha ha. Of ik toch de volgende dag bij mijn huisarts langs wilde gaan. Ze hadden er beiden duidelijk al over gesproken.

Thuis op internet Parkinson opgezocht. Gek, ik had wel álle verschijnselen! Maar dat hebben toch alleen maar oude mensen? En daarbij komt het in onze familie niet voor.
Eerst maar eens twee weken naar de sneeuw. Je zult zien dat je ervan opknapt, zei iedereen. Nou, als je elke dag letterlijk in je skikleding gehesen moet worden knap je helemaal niet op, maar af; mijn vertoning op de piste was dan ook een flop. En heel diep van binnen begon het tot me door te dringen dat er echt iets helemaal mis was.
Na de eerste diagnose en de second opinion in het AMC moest ik er dan ook aan geloven. Ik had wel degelijk de ziekte van Parkinson.

Op dit moment gaat het vrij goed. Ook het lopen gaat al stukken beter. Tijdens mijn fysio-uurtje ben ik zelfs begonnen met hardlopen op de band. Inmiddels neem ik zanglessen en zing ik bij een koor, ik volg Latijnse lessen via internet, ben met een boek bezig en oriënteer me op een passende studie.
Verder zijn er nog 1001 andere dingen te ondernemen.

De afgelopen jaren waren niet gemakkelijk, maar door positief te denken en weer enthousiast over dingen te worden, heb ik mijn kwaliteit van leven kunnen verbeteren. Het was een heel proces. Door yoga heb ik enige talenten bij mezelf ontdekt. De boeken van Deepak Chopra en de preken van de dominees Schuller hebben mij andere inzichten in de mens en het leven gegeven. Dankzij de medicijnen is het leven weer redelijk leefbaar geworden, maar dankzij het bovengenoemde veranderingsproces is het leven bijna elke dag een feest.

Tijdens mijn wandelingen met de hond gingen de gedachten altijd naar Parkinson en hoe anders mijn leven nu was geworden. Mijn hoofd zat soms zo vol dat het op een dag tijd was om 'de harde schijf' te legen. Ik bedacht dat ik deze gesprekjes met mezelf het beste op papier kon zetten in de vorm van Pee en ik. Zoals u in de verhalen kunt lezen zijn wij duidelijk met z'n tweetjes. Pee (Parkinson) en ik.

In deze verhalen tracht ik duidelijk te maken hoe je je kunt voelen als parkinsonpatiënt, maar ook hoe je met de ziekte kunt omgaan. In eerste instantie waren de verhalen bedoeld voor mijn gezin, later ook voor familie en vrienden. En nu heeft u mijn boek in handen.

Pee en ik. Luchtige, emotionele verhalen met een knipoog naar het leven. De verhalen zijn onder andere bedoeld voor die mensen die vastzitten en er graag uit willen komen; die ook de wereld weer van haar mooie kanten willen bekijken. Het is mij gelukt.
Laat me weten (pee.en.ik@planet.nl) of het u door het lezen van dit boek ook gelukt is!

Als u meer informatie zoekt over oorzaken en verschijnselen, medische behandeling en zelfhulp, omgaan met patiënten etc., verwijs ik u graag naar het boek *Spieren in de vertraging. Alles over de ziekte van Parkinson* uit de serie 'Spreekuur Thuis' (zie onder Literatuur, achter in het boek).
Ook relevante adressen, telefoonnummers, internetsites en boeken treft u achter in dit boek aan.

De wandeling

We zijn altijd samen, Pee en ik. Samen delen we de goede en de minder goede momenten. Als je ons samen ziet wandelen op de hei, dan zie je altijd eerst Pee; ze loopt wat voorover gebogen, schuifelt wat met de voeten en heel hardnekkig houdt ze haar armen stijf naast haar lichaam. Daarna kom ik, bruisend van energie, boordevol ideeën en zin in het leven!

Als de zon schijnt hebben we nogal eens strijd, vooral als de zon áchter ons schijnt. Dan roep ik: 'Wat een heerlijke dag vandaag!' Maar Pee loopt voor me uit te mokken en te sjokken. Ik wil gaan rennen, kom er maar niet voorbij. Voel me net een bumperklever. Er zijn momenten tijdens zo'n wandeling dat ik even zonder Pee ben, als ik de zon tegemoet loop, met ferme pas en de haren wapperend in de wind. Heerlijk!
Ze laat me echter nooit lang alleen. Zodra ik afbuig van het rechte pad en de zon me weer van opzij of van achteren beschijnt, dan is ze er weer.

Een leven zonder Pee is haast niet denkbaar. Oké, we houden niet echt van elkaar, maar sinds Pee in mijn leven is gekomen is er wel veel veranderd. We doen leukere dingen dan voorheen. Stellen andere prioriteiten. De visie op het leven en de toekomst heeft een positieve wending genomen.
Als Pee er over een poosje niet meer zou zijn... zal ik haar dan missen? Absoluut niet! Ik hang zeker de vlag uit. Maar ik ben haar wel dankbaar voor het feit dat ze me in staat heeft gesteld andere talenten te ontplooien en een ander, mooier pad in het leven te volgen.
Ik ben een gelukkiger mens.

Shoppen

Het is eind maart en toch heeft het vannacht weer gevroren. Buiten is het dan ook onaangenaam koud. Maar ik moet toch echt de stad in. Een shirt ruilen en een boek ophalen bij de boekhandel. Slechts twee winkels, moet kunnen.

De hond had ik al uitgelaten en ik zat net bij te komen van een energieslurpende wandeling. De hete koffie deed me goed en ik nam het besluit om met de fiets de stad in te gaan. Pee had een hekel aan fietsen en ging tot nu toe nooit mee.
Het was niet druk in de winkel en het shirtje kon geruild worden. De verkoopster op de eerste verdieping drukte me het nieuwe shirt in de armen en vroeg of ik een en ander beneden bij de kassa wilde afhandelen. Feest. Ik had het te kleine shirt in de ene hand en een tas en een paar dikke handschoenen in de andere hand. Verder droeg ik mijn dikste winterjas en een enorme sjaal. Pee was er inmiddels ook weer bij en begon erg vervelend te worden. Het zweet brak me aan alle kanten uit. Tot over maat van ramp viel ik steeds bijna om. Van binnen bibberde ik. ‘Gaat het, mevrouw? Wilt u even zitten?’ De tranen sprongen me in de ogen en ik vluchtte zo snel als ik kon naar beneden.

Eenmaal buiten knapte ik weer op. Toch nog maar even langs de boekhandel. Daar was het ook niet druk. Eenmaal binnen begon Pee zo vervelend te doen dat ik haar het liefst een flinke mep wilde verkopen. Het bestelde boek lag al klaar en na al het wisselgeld los in mijn tas te hebben gegooid, worstelde ik me naar buiten. Slingerde mezelf op de fiets en verlangde hevig naar huis, naar een warme lunch.

Thuis geef ik me braaf over. Oké, vandaag heb jij gewonnen. Maar niet heus! Ik ben een slechte verliezer, wanneer het Pee betreft. Dus stel ik altijd een win-winsituatie voor. Goed, ik ga vandaag niet meer shoppen en ook geen boodschappen doen. Koken wordt ook niks. Gelukkig staat er in de kelder nog een pak pannenkoekenmix en in de vriezer bevindt zich nog een kartonnetje roomijs. Zo meteen zet ik een grote pot thee en er is vast ergens in huis nog wel iets lekkers te vinden. Pee weerhoudt me er net niet van om een goed boek uit te zoeken. Ik installeer me op de bank, in het zonnetje, en probeer te genieten van het feit dat ik zomaar een 'relaxmiddag' cadeau krijg. Morgen gaat het vast weer beter. Tijd voor een powernap en daarna Geert Mak.

De zangles

Gisteren was de hulp geweest en in huis was er vandaag dus niet veel te doen. De zon liet zich, sinds lange tijd, eindelijk weer eens zien. Het beloofde een fijne dag te worden. Wauw!

Sinds geruime tijd volg ik nu zanglessen. In het begin ging Pee altijd mee, ze vond het wel interessant. Ik moest vlak bij de piano staan zonder enig houvast en dat leverde wel eens problemen op. Al snel begon ik dan te hyperventileren, het middenrif bleef regelmatig vastzitten en keel- en slikklachten deden me afvragen: was dit nou eigenlijk nog wel leuk? Vanbinnen wist ik dat ik door moest zetten. Op mijn nieuwe prioriteitenlijstje stonden zanglessen niet voor niets bovenaan.

Dankzij het vele geduld van mijn zangpedagoge en het steeds wegduwen van Pee ging het na verloop van tijd beter. Spanning en stress werden door gerichte oefeningen uiteindelijk overboord gegooid. De inzingoefeningen werden uitgebreid en na Vaccai stapten we over op Giordani, Caccini en Caldara. Prachtig.
De beginklanken van de piano deden mijn hart vibreren; Pee vluchtte dan de deur uit en we zagen haar het hele volgende uur niet meer terug.

Vandaag haalde ik eens diep adem en dacht bij mezelf: iedereen kan me wat, dit is mijn uur en dat laat ik door niemand van me afpakken. Alle spanning en stijfheid vielen van me af en voor het eerst haalde ik de ‘hoge C’ met gemak. Ik had nog niet eerder zo lekker gezongen! Na afloop van de les, op mijn oude barrel, met een zalig gevoel terug naar huis gezwierd. Ik had nog zeeën van tijd om na te genieten voordat iedereen thuiskwam. Wat een

tempo

ongekende luxe. Voor vanmiddag had ik mezelf beloofd te gaan genieten van een meer dan prachtige dvd van Cecilia Bartoli. Pee had duidelijk geen voorkeur voor klassieke muziek en heeft zich de rest van de dag niet meer laten zien. 's Avonds een heerlijk pastamaal klaargemaakt met veel knoflook. Het was een reuzegezellige avond en niemand miste Pee. Een topdag!

Moest toch meer dingen gaan bedenken waar Pee een hekel aan had.

De yogales

Vandaag besloot ik maar weer eens naar yoga te gaan. Bij de studio mocht Pee altijd mee tot in de gang. Verder was het voor haar verboden terrein. Stiekem glipte ze soms mee naar binnen, maar ze werd linea recta teruggestuurd.
Als ze mocht blijven dan was dat mijn keuze. Toen ik eenmaal doorhad dat ik als enige mocht beslissen over haar bijzijn was de keuze snel gemaakt.

De yogalessen van Dolly zijn meer dan plezierig. Het eerste uur praten we samen over een toekomstige betere wereld en hoe we daar individueel aan kunnen bijdragen. Het tweede uur doen we oefeningen waarbij we regelmatig versteld staan over ons eigen kunnen. De les wordt afgesloten met een kopje thee en een schaaltje heerlijke biologische koekjes. Daar vallen we zo gretig op aan dat het lijkt of we alleen voor de koekjes komen...

Als het tijd is om naar huis te gaan valt het afscheid van Dolly zwaar. Dolly is namelijk heel speciaal. Een klein mensje van 80 jaar en zo lenig als een kat. Ze heeft alle tijd voor iedereen en laat problemen verdwijnen als sneeuw voor de zon.
Dolly heeft echter gruwelijk de pest aan Pee en Pee aan haar. Pee heeft een keer de wind van voren gekregen en nu is ze een beetje bang voor Dolly en laat zich op de yogales nooit meer zien.
Na afloop van de les zweef ik naar huis. Voel me dan zo licht en vrij als een vogel, alle trillingen en stijfheid zijn verdwenen. Totale ontspanning. Dit gevoel wilde ik zo lang mogelijk vasthouden; dat ging vandaag lukken!
Het heeft lang geduurd, maar uiteindelijk ben ik erachter gekomen dat ik zelf verantwoordelijk ben voor de kleur van de dag.

Een ieder die een Pee noodgedwongen onderdak geeft, heeft het niet gemakkelijk en zou zichzelf ertoe moeten zetten te zoeken naar bezigheden die het leven weer bruisend maken.

Moet toch niet zo moeilijk zijn...

Het concert

Eindelijk was het dan bijna zo ver. De dag van de uitvoering naderde met rasse schreden.
In het kader van het herdenkingsjaar van Mozart stond het Requiem op het programma. Na een jaar lang repeteren keek iedereen dan ook uit naar de uitvoering.
Tijdens de generale repetitie was het ijzig koud in de kerk. Het zingen ging voor geen meter. Tot overmaat van ramp hoorde ik dat we óver het podium moesten lopen, aan het eind een trapje op en dan weer óver het podium, tussen de stoelen door naar je plaats, onder de spiedende blikken van het publiek. Pee lag in een deuk. Daar wilde ze wel bij zijn. Dat ik met mijn hakken in de lange zwarte rok zou blijven hangen en op mijn neus zou vallen zag ook ik al voor me.
Hèèèèlp.

Zaterdagavond, acht uur. De kerk was afgeladen vol! De tijd was gekomen om naar onze plaatsen te gaan en we liepen braaf achter elkaar aan over het podium. Het publiek applaudisseerde. Ik kon niet meer terug. Men had mij en Pee gezien. Mijn man zei na afloop dat ik behoorlijk stevig over het podium liep. Geweldig. Niks geen Pee te zien dus. Maar ze was er toch. Even, heel even maar. Op het moment dat ik op mijn stoel plaatsnam, dook de dame voor mij ineens naar beneden om haar bladmuziek te pakken.
Daar zat ik, met mijn maskergelaat, te kijk voor vijfhonderd mensen en mijn hart bonsde in mijn keel. Duizelig. Paniek. Pee dacht mij even te pakken hebben. Ik kreeg het Spaans benauwd. Een trilling in mijn hand en in mijn been. Bibbers vanbinnen.
Plotseling rechts van het midden van de kerk in het halfduister zag ik twee geliefde gezichten die me bemoedigend toelachten.
Ik greep Pee stevig bij de kraag en smeet haar met een grote boog

door de glas-in-loodramen naar buiten. Zo, en nu zingen. Ik heb gezongen als nooit tevoren.

De dame aan mijn linkerzijde was na afloop zichtbaar geëmotioneerd, ze had genoten. De dame aan mijn rechterzijde was ook ontroerd, het was haar laatste uitvoering. En ik? Ik was alleen maar waanzinnig blij en voelde me zeer tevree dat het me weer gelukt was, zo'n avond zonder Pee.

F
V

Stressfactoren

Tegenwoordig zijn er genoeg dingen op televisie om je nijdig over te maken. De reclameblokken lijken met de dag langer te duren. Soms weet je niet eens meer naar welk programma je zit te kijken. De meest weerzinwekkende programma's vliegen over de buis.
De kranten staan vol over terreur, gijzelingen, massaontslagen, voedselbanken, wantoestanden in de zorg. Gezinsmoorden (om de lading van de betekenis af te zwakken gebruiken we maar het woord familiedrama's) komen steeds vaker voor. Topbonussen hebben de weg naar de juiste bestemming nog altijd niet gevonden.

Als je achter de computer zit, hijgen de hackers in je nek. Firewalls, antispam en antivirus moeten het leuk maken om deze lui steeds te slim af te zijn. Op internet en MSN worden kinderen lastiggevallen en uitgescholden.

Pee is werkelijk dol op dit soort sensatie en bezorgt me bibbers, stijfheid, depressie, slapeloosheid, enzovoort. Wat kan ik hier in vredesnaam aan doen? In ieder geval niet meer meedeinen op de golven van gezanik en trachten niet in de lonkende draaikolk van agressie en apathie terecht te komen.

De televisie heeft tegenwoordig voor elk wat wils. Mijn favoriete programma's komen echter op de meest ongelegen tijdstippen. Maar in de krant of tv-gids kun je een enorm aanbod vinden van films, actualiteiten en concerten voor de komende week. Ik neem nu gewoon op waar mijn interesses naar uitgaan en na enige tijd ben ik dan in het gelukkige bezit van een aardige verzameling kijkplezier. En ik bepaal zelf wanneer ik daarvan ga genieten.

Verder lees ik een kwaliteitskrant, en kijk nog maar één keer per dag naar Euronews. Het is niet nodig je meerdere malen per dag te laten overspoelen met doffe ellende.

En dan hebben we nog ons Peeceetje! Ik zal niet uitweiden over de megastress die dit schijnbaar onmisbare ding veroorzaakt heeft. Inmiddels ben ik overgestapt naar een andere provider. Een die ook een servicemonteur levert binnen 24 uur. Afgelopen met rode hoofden, een topbloeddruk en een rondgillende Pee.

Ik kan dus voor een groot deel zelf bepalen door welke bril ik het leven wil bekijken...

De studie

Vanavond zou er een voorlichtingsavond over deeltijdstudies zijn op de universiteit in Utrecht. Ik ging er samen met een vriendin naartoe. Maar het ging helemaal niet vanzelf, want Pee wilde ook mee. Er kwam een vriendinnetje langs voor mijn dochter. 'Mam, kunnen we dan hier eten?' 'Ja, natuurlijk,' zei ik. 'NEEE,' riep Pee! Wat nu? Ik had geen puf meer om boodschappen te doen, laat staan ook nog eens te koken.
'Misschien kunnen jullie samen met papa lekker patat halen.' Het regende dat het goot en het zag er niet naar uit dat het nog op zou houden. Slecht plan dus, want ik zou de auto mee hebben.
De telefoon rinkelde; de moeder van het vriendinnetje. Ze moesten met hun konijn naar de dierenarts; of de dames zin hadden om mee te gaan? En of ze meteen een hapje wilde blijven eten.
Opgelost! Probeerde zo min mogelijk te laten merken van mijn opluchting...

Het was tijd, moest me nog omkleden. Haast, haast. Laat ook maar zitten. De meiden hadden, gelukkig zonder tegenspraak, want het plensde nog steeds, de hond uitgelaten.
Gauw in de auto, dan zou ik nog op tijd zijn. Halverwege racete ik nog terug om mijn mobiel op te halen. Had de laatste tijd steeds het idee iets te vergeten en voelde me een beroerde moeder omdat ik niet met het eten rekening had gehouden.
Het was voortaan toch eenvoudiger om dingen maar los te laten. Met een Pee in huis kon je eenvoudig niet meer aan alles denken.

Eenmaal op de faculteit aangekomen, was Pee plots verdwenen. Zeker geschrokken van al die oude bollen. Pee had niks met letteren of wijsbegeerte.
In de collegebanken zakte ik heerlijk onderuit en keek geamuseerd

om me heen naar al die mensen die ook nog geen studiekeuze hadden gemaakt. Dacht aan de komende nieuwe tijd, de terrasjes en de kroegen.
Zou dat echt nog voor me weggelegd zijn, met Pee? Plotseling kreeg ik het benauwd. Hoe moest ik dat gaan doen? De laatste tijd kreeg ik steeds meer problemen met het ontcijferen van mijn eigen handschrift. Zouden laptops al gebruikt worden tijdens colleges? Ik durfde er niet naar te vragen. Morgen. Morgen zou ik erover bellen. Ik weigerde me over te geven aan de gedachte dat het ineens einde verhaal was. Al met al was het een leuke maar bovenal leerzame avond geworden.

Een studie gekozen? Nog niet. Ik zou uiteindelijk wel een keuze moeten gaan maken. Pee bracht me de laatste tijd veel aan het twijfelen. Dan maar aan het lot overlaten.
Bij twijfel moet je nooit ergens over beslissen en eigenlijk weet ik ook wel vanuit mijn levenservaring dat oplossingen zich altijd vanzelf en onverwachts aandienen.

April doet wat hij wil

Een vreugdegevoel overvalt mij elke ochtend als ik wakker word en constateer dat ik geen tremor heb, mezelf nog kan omdraaien en spontaan uit bed kan springen.

Ik spiedde door een kier van de gordijnen naar buiten. Grijs en mistroostig. Ha, fijn. Het was zaterdagochtend, acht uur en buiten heerste de weekendstilte. Kon niet meer slapen.

Ik sloop naar beneden, nam snel een boterham en een paar pillen. Snel douchen, aankleden en met de hond het bos in.
Zodra ik dacht dat ik geen levende ziel zou tegenkomen liep er ineens iemand voor me. Van het pad links kwam nog een wandelaar. Evengoed straalde de natuur zelf nog steeds veel stilte uit.
Ik besloot door het bos te lopen en niet over de hei. Kwam amper vooruit was misselijk en slap in de benen. En ja hoor, daar kwam weer een wandelaar, en nog een. Voortaan maar een uur eerder opstaan. Intussen waren mijn handen en oren ijskoud geworden. April? Een winterjas was nog steeds geen overbodige luxe.

Eenmaal thuis wilde de jas niet aan de kapstok en een andere jas viel van zijn hanger. Poten van de hond schoongemaakt, met mijn hoofd tegen de muur geleund. Vers water straks, er zat nog water genoeg in zijn bak, eerst even liggen. Het was zo stil in huis. Hield me stevig vast aan de trapleuning en hees mezelf naar boven. Overgeven? Ondanks het luide gesnurk zag het bed er aanlokkelijk uit. Ik snakte naar warmte. Kroop met kleren aan in bed. Mijn oor deed pijn. Er werd een warm voorhoofd tegenaan gelegd. Lekker. Een warme hand op mijn borst. Een andere warme hand onder mijn billen. Even wegsoezen.
Slechts Pee, en het gestommel van een tiener, die zich weldra met

een hoop kabaal tussen ons in zou storten, beletten mij om even rap uit de kleren te springen en me over te geven aan een warm lichaam. Tja...

Desalniettemin een prettig idee dat Pee weliswaar veel invloed heeft, maar op een aantal gebieden duidelijk niet.

Jaszakken

Het is voor 't eerst sinds lange tijd weer eens mooi weer. De zon kwam voorzichtig achter de wolken tevoorschijn en je kon voelen dat het eindelijk echt voorjaar was geworden. De winter had zich zeker tweemaal te lang in ons land opgehouden. Eindelijk zonder jas de hond uitlaten.

Zou ik de hei opgaan of het bospad nemen? Pee liet me weten dat de hei vandaag niet op het programma stond. Het bospad dus. Halverwege het bospad fluisterde ze boosaardig in mijn oor dat ik mijn jas vergeten had. Ha ha, dacht ik, dat zal wel. Maar tot mijn grote schrik besefte ik dat ik echt mijn jas niet aan had! Mijn jas! Mijn heerlijke winterjas! Met die diepe zakken. Ik was zonder zakken. Die zalige zakken waar ik de hele lange winter die stijve armen in had kunnen verstoppen. Voelde me plotseling erg bloot en kwetsbaar. Nu zou iedereen HET aan me kunnen zien. Pffff. Wat nu?
De hond moest toch uitgelaten worden. Vooruit dan maar. Het zou echt mijn dag niet zijn. Daar kwam weer zo'n wandelaar aan. Hij kwam recht op me af. Er zat ongeveer 150 meter tussen ons. Als ik nou eens recht op die boom afloop, dan ziet hij me nog net niet. De wandelaar bleef achter de boom. Weer tien meter verder. De wandelaar ging iets naar rechts en ik weer iets naar links. De wandelaar ging naar links en ik naar rechts. Deed me denken aan het kiekeboespelletje van vroeger. Alleen kon ik hier niet om lachen. We waren elkaar bijna genaderd en ik moest nu toch echt die boom voorbij. Meestal was de hond achter me en kon ik gaan stilstaan om hem te roepen. Vandaag liep hij natuurlijk ver vooruit en moest ik ook doorlopen. Confrontatie.
'Goedemorgen mevrouw, nog steeds last van uw rug?'
'Ja,' antwoordde ik braaf, 'maar er kómt een dag dat het over is.'

De augiasstal

Het verschrikkelijke besluit was genomen. Vandaag ging het gebeuren. De kamer van onze tiener was aan de beurt. De bendes kleren, boeken en studieboeken die zich daar in slechts twee dagen hadden opgehoopt zouden vandaag het veld moeten ruimen. Voor de laatste maal, had ik mezelf beloofd. Was niet van plan om nog langer slavenarbeid te verrichten. Of Pee er nou wel of geen zin in had, vandaag was ik Hercules.

Vol goede moed toog ik naar boven. Gooide de deur open en schrok me een bult. Hier had een orkaan gewoed! Even zitten. Moest de situatie onder controle krijgen.
Eerst een plan van aanpak bedenken: sorteren van studie- en leesboeken, kleding voor de was en voor in de kast, bed opmaken en dan de volgende dag stoffen en zuigen.
Op een of andere manier lukte het me niet. Door Pee vielen de kleren steeds van de hangers. Pee ging op mijn rug zitten, zodat ik met de boeken in mijn armen niet overeind kwam. Als ik voorover boog gaf ze me een duw, zodat ik opzij viel. Even zitten en een poosje in het rond schreeuwen. De tranen kwamen vanzelf.

Zo, over. Nieuw plan van aanpak. Heel boos worden, alles naar één kant schuiven, vuilniszakken klaarleggen. En gewoon beginnen! Binnen een paar uur was de klus geklaard. Gestoft én gezogen. Als je maar eens goed nijdig wordt op die Pee. Tegen drie uur een pot thee gezet, plak chocola erbij – ik doe geen fluit meer. Vanavond maar (weer) iets heel makkelijks eten.
Ben zeer benieuwd wat de eigenaresse van haar schone stal vindt.

Zelf was ik blij en voldaan want ik, de held dus, had het werk net als Hercules in één dag voltooid.

ORANJE
BITTER
8 710625 020001

Rumsoda

Morgen is het Koninginnedag en zondag komt er 'hele dag' visite. Vandaag moesten er dan toch boodschappen worden gehaald. Even snel een briefje maken om te voorkomen dat ik maar met de helft zou thuiskomen.
Eenmaal in de supermarkt kwam ik al snel tot de ontdekking dat het briefje weer eens thuis op de keukentafel was achtergebleven. Ik sprak mezelf toe: rustig blijven en gewoon doorgaan met ademhalen. Pee was voor de verandering gelukkig in de auto blijven zitten.
Het ging als een speer. Ik had wel heel erg veel boodschappen in mijn kar. Maar ja, bezoek had het recht om verwend worden.

De dame achter de kassa vroeg of iemand kon helpen met inladen. Nou, daar zei ik geen nee tegen. Nu al die boodschappen nog in de auto zien te krijgen. Snel naar huis, alles naar binnen brengen en opbergen. Je moest maar niet gaan tellen hoe vaak je de pot pindakaas in je handen had gehad. Logisch dat Pee er ook genoeg van kreeg. Ze vluchtte uit de auto de keuken in en ging eens lekker lopen drammen.

Samen hadden we de zak met pruimen niet goed opengemaakt, waardoor het voor de pruimen een strijd werd wie als eerste op de mooie schaal kwam te liggen. De appels hadden vandaag zin om over het aanrecht te rollen en de mandarijnen sprongen steeds uit mijn hand, want er wilde er geen een onderop liggen. Pee had weer dolle pret.

Eindelijk alles opgeruimd. Even op mijn briefje spieken. Ik kon het bibberhandschrift nog enigszins ontcijferen. Het viel mee wat ik vergeten was. Behalve de rumsoda. Rumsoda?! Waarom had ik

dat in vredesnaam opgeschreven? Met een loep keek ik nogmaals op het bijna onleesbare briefje. Er stond helemaal geen rumsoda. Het was de roomboter die ik was vergeten!
Na de lunch en een uurtje rust besloot ik de middag in de tuin door te brengen en me zonder stress voor te bereiden op een gezellig weekend.
Morgenochtend vroeg op, de vlag met wimpel uithangen. Met de trap naar de buurman om ook daar de vlag uit te hangen. Naar de bakker, lekker vers oranjegebak halen... én op tijd voor de buis zitten met een oranjebittertje!

Hoe gaat het?

Het kan me tegenwoordig mateloos irriteren als mensen vragen hoe het gaat, en vervolgens niet naar Pee vragen. Net als vroeger, wanneer je als prille moeder met je baby aan de wandel was en men keek of vroeg niet naar je kind.
Eens was ik, naast bijna honderd procent moeder, toch ook nog echtgenote, huisvrouw, werkende vrouw, studerende vrouw, vriendin, vijand, kennis, collega, buurvrouw, zus, schoonzus, nicht, achternicht, tante, dochter...
Tegenwoordig kan ik van bovenstaande al heel wat doorstrepen. Er is er slechts één bijgekomen en dat is Pee. Maar ik zal nooit honderd procent Pee zijn want Pee en ik zijn met z'n twee.
Het doet wel pijn als er belangstelling voor de een is en niet voor de ander. Het is blijkbaar makkelijk voor iemand om me te vragen hoe het gaat – om vervolgens zijn eigen succes- en/of ellendestory over mij uit te storten.

Waarom zouden mensen bang zijn om te vragen naar Pee? Zouden ze bang zijn om na hun vraag geconfronteerd te worden met het tandenpoetsprobleem of iets anders engs? Zouden mensen bang zijn om met hun eigen tekortkomingen te worden geconfronteerd, omdat ze niets anders weten te zeggen dan: 'Tja, joh het is niet anders.' 'Je moet er maar mee leven.' 'Je moet er nodig eens uit.' 'Het had nog erger kunnen zijn.'
Allemaal uit het handboek der dooddoeners.

Als na een echte Pee-dag iedereen met zijn verhalen thuiskomt is het fijn om te luisteren. En is het heel fijn om iedereen blij te zien en het is ook fijn als je zelf over jouw dag kunt vertellen. Blijft over: hoe was het met Pee vandaag?
Kijk een Pee-bezitter eens recht in de ziel en vraag: hoe was het

nou vandaag met Pee? Niet elke dag hoor, ook niet elke week. Zo eens per maand is ook goed, maar dan wel gemeend. Vergeet vooral niet bemoedigend te zijn. Een aardverschuiving zal plaatsvinden.

De Pee-bezitter zal uiteraard zijn best doen om geen treurig, depressief, egocentrisch, onooglijk schepsel te zijn.

In de emotio

Thuis waren ze er al aan gewend. Moeders zit weer eens te huilen. Ik moest de laatste tijd wel heel snel huilen om van alles en nog wat. Bij een romantisch of dramatisch einde van een boek, film, theater, concert. Het was alleen erger geworden sinds Pee over mijn schouder meekeek.
Het begon op te vallen bij de vele verdrietige beelden in journaaluitzendingen. Ook bij elke soap werden wel tranen gestort. Verder kan ik me nog een aflevering herinneren uit de serie McLeod's Daughters waarin Claire zo abrupt uit de serie werd geschreven. Door een enorme uitbarsting van tranen mijnerzijds had ik ook mijn dochter aangestoken en samen hebben we een hele partij papieren zakdoekjes weg zitten snotteren.
Dan heb je ook nog de feestelijke sportevenementen zoals de Olympische Spelen, de Elfstedentocht, het WK hockey en voetbal, waarbij ieder mens met een beetje gevoel wel eens een ontspoorde traan wegveegt.
En vooral de huldigingen waren een regelrechte ramp; die moest ik zeker niet meer in het bijzijn van anderen kijken. In het bijzonder het enorme hartverwarmende enthousiasme van moeder Terpstra deed mijn keel dichtknijpen. Het was alsof Pee op het moment suprême ergens een klein stekkertje in en uit stak.

In het begin dacht ik dat niemand het in de gaten had en veegde stiekem de tranen weg. Naarmate de spanning opliep moest ik slikken, hoesten en mijn ademhaling ging in horten en stoten. Stekkertje erin, stekkertje eruit, Pee hou op!
Nu was ik in een fase beland dat, als ik alleen maar verslag wilde uitbrengen over een gebeurtenis met een enigszins emotionele

lading, mijn stem halverwege het verhaal brak en iedereen me nieuwsgierig aankeek en riep: 'Ja hoor, daar gaan we weer!'
Ik zie dan ook al op tegen de naderende feestdagen, met name het kerstdiner. Traditiegetrouw dient iedereen die bij ons 'aanzit' tijdens het diner, een gedicht voor te dragen, een verhaal voor te lezen, iets muzikaals te doen of terug te blikken op het bijna voorbije jaar.
Ik wist dat ik de keuze tussen voedselbanken, verhongerend wild of een nog zelf te schrijven essay stilletjes al had gemaakt.

Desalniettemin is het veel eenvoudiger om jezelf te zijn, te blijven en je maar gewoon over te geven aan de voorbijvliegende emoties.
Lekker brullen.
Kon iedereen er hartelijk om lachen.
Het positieve element daarvan is, dat je je erná lekker opgelucht voelt.

De tuin

Het was nog vroeg in de middag en ik had besloten eens wat in de tuin te gaan doen. Het was een van die zeldzaam mooie meidagen. Er waaide een heerlijke zwoele wind. Heel voorzichtig sloop ik door de voortuin, spiedend van links naar rechts of er soms iemand te bekennen was die het plan had mij aan te spreken. Ik had me bewust niet in tuintenue gestoken. Al dat verwisselen van kleding kon je maar beter voorkomen. Maar waar te beginnen?
De klimop woekerde relaxed door de hele tuin. Sommige struiken waren niet meer van elkaar te onderscheiden. Door de droogte van een paar dagen was er veel blad gevallen; de borders waren dan ook één puinhoop. De madeliefjes stonden bijna op kniehoogte. De berkenbomen waren nog niet uitgebloeid en lieten overal stuifmeelsporen achter; op de brievenbus, de vensterbanken, de ramen en de auto. De rand klinkers, die het gras van het grind zou moeten scheiden, was niet meer te zien; het gras was er brutaal overheen gegroeid en kwam zeker tien centimeter over het grind.
Deze verborgen rand intrigeerde me en ik besloot daarmee te beginnen.

Tijdens de inspectieronde was ik de hele Pee vergeten. Niet aan denken! Gauw beginnen. Ik kon lekker op mijn knieën zitten en zou dus niet omvallen. Het was een zware klus, maar het ging redelijk snel en na een uur was ik daarmee klaar. Ik besloot wat dichter naar het hek te gaan (nog steeds niemand te zien) en begon daar in een enorm tempo aan de klimop te rukken en te trekken. Je moet doen wat binnen je mogelijkheden ligt. In die hoek ook maar meteen snoeien. Mijn buurman van 87 kwam even helpen met de zaag. Zou toch andersom moeten zijn?

Waar is Pee in vredesnaam gebleven?

Het was half vijf. De zon had inmiddels plaatsgemaakt voor bewolking; er beloofde heel wat regen uit te komen. Ik moest voortmaken.
Vijf uur. Wat was het toch zalig in de tuin, ik voelde me weer als vanouds.
Half zes. Het begon op te knappen. Even pauzeren en stretchen. Het gras ook maar even maaien en de kantjes knippen. Eindelijk de dode rododendron eruit bonjouren.
Totdat een buurjongetje pennen kwam verkopen en ik constateerde dat ik mezelf had buitengesloten. Sufferd, zag ik het jongetje denken. Tja, dan ga ik maar door tot iedereen thuis is. Er was per slot van rekening ook nog yoghurt met muesli en oerbrood met kaas en ham en olijven. Moet kunnen.
Om kwart voor 7 diende Pee zich aan. 'Zeg, je moet nu stoppen anders kom ik naar huis!' Ik ging braaf zitten onder een paar hoge bomen, en genoot van het vele verzette werk. Pee had gelijk; je kon het ook overdrijven. Pee was uit logeren gegaan zonder mij van tevoren in kennis te stellen. Af en toe liet ze even van zich horen. Ze zou uiteindelijk pas terugkomen als ik met de tuin klaar was. Sinds Pee bij me is, is ze voor het eerst tweeënhalve dag weggeweest.
Waar ze geweest is? Géén idee...

De zaterdag

Het regende 'cats and dogs', zoals ze in Engeland zeggen als het hemelwater met bakken naar beneden komt.
Het was mijn soort weer! Ik raak dan door zo veel dingen geïnspireerd en kan vervolgens moeilijk een keuze maken: zingen, pianospelen, naar jazzmuziek luisteren, een goed boek lezen of achter de computer wat Pee-verhalen eruit rammelen.
Vandaag kwam daar niet veel van. Door de wekker werd ik al vroeg het bed uitgejaagd. Op naar de hockeyvelden.
Voor Pee was het ook zaterdag; meestal sliep ze uit. Zo ook vanochtend. Nog even langs de bakker een paar lekkere knapperige broodjes halen.

's Middags hadden dochterlief en ik een afspraak bij de opticien. Drama: het tienerkind heeft een bril nodig! Toch weer iets leuks van zien te brouwen. Slecht nieuws verbergt altijd een gouden kans! Hoezo een gouden kans? Nou, bij elke opticien werkt wel een leuke knul... en er zijn heel wat opticiens.
Het giet nog steeds; we duiken een café in en bestellen een drankje en een portie bitterballen. Genieten met zo'n puber! Het blijft een kunst om van elke dag een topdag te maken.
Eenmaal thuisgekomen besloten we de open haard aan te doen. Eind mei!

Snel nog even naar boven mijn mail checken, voordat de computer de hele avond bezet gehouden zou worden door allerlei MSN-gespuis. Ik gooide een raam open, zodat ik de regen in zijn volle glorie kon horen druppen. De vogels kwamen er met hun avondconcert nog net bovenuit. Een cadeautje van boven, daar moest je toch even van genieten. Wat kon het toch simpel zijn. Ik vroeg me af hoeveel mensen er op dit moment ook zo van genoten.

Het was een lange dag geweest en ik verlangde naar rust. Pee stond al een poosje beneden aan de trap te jengelen. Zelfs de hond werd er ongedurig van en bleef blaffen. Tja, als Pee zich eenmaal aangekondigd had, dan ging alle aandacht weer naar haar.
Ze was nu boven gekomen, zat boven op mijn nek en trok aan mijn arm zodat ik de computer met moeite kon afsluiten. Ik had ook eerder moeten stoppen.
Tijd voor een goed glas wijn en een ontspannende film.

Zaterdagavond. Bedtijd voor Pee...

Keukenhulpjes

Huis-, tuin- en keukenhulpjes; wat klinkt dat onzalig ouderwets! Toch zijn het de handigheidjes die je vroeger thuis leerde die je nog altijd bijblijven. Maar die handigheidjes van toen zijn nu met Pee geen handigheidjes meer.

Mijn vader vertelde vroeger, áltijd als we asperges met ham en gekookte eieren aten, hoe je het beste een ei kon pellen; in verband met de luchtbel of kamer onderin. Nou, tegenwoordig moet ik mijn gekookte ei eerst finaal craquelé slaan wil ik een ongeschonden wit ovaal op mijn bord terugvinden. Om tomaten te snijden gebruik ik het pizzames, zodat het geen tomatenpuree wordt. Het broodmes wordt voor de kaas gebruikt als ik niet met een jaap in mijn vinger op de EHBO wil belanden. De paprika's worden schoongeborsteld met een champignonborstel en de champignons worden gesneden met het vleesmes. Verpakkingen knip ik direct open om mezelf de ieder zo bekende smijtergernis te besparen. De deegroller zorgt ervoor dat de noten gehakt worden. Gehakt? Gehaktballetjes, ja daar heb ik wel hulp bij nodig. Een balletjesdraaimachientje zou heel welkom zijn in Pee-land. Als een soort Dulle Griet klop ik mijn roux met de garde geklemd tussen twee handen. Mijn dochter maakt de béchamelsaus en mijn specialiteit is de péchamelsaus, mét klontjes. En we weten allemaal: die horen erin.

Eigenlijk wil ik het niet toegeven maar stilletjes dringt het besef door dat ik dus al enige hulp nodig heb om Pee buiten de keuken te houden. Ze staat inmiddels al weer te dringen voor de deur en uit alle macht houd ik met handen en voeten de deur dicht en zing uit volle borst: bij ons staat op de keukendeur, het is niet altijd rozengeur...

Besluiteloze zone

Oké, ik voelde dat het vandaag mijn dag niet zou zijn en ik had me erop moeten instellen. Maar eigenwijs als ik soms ben, bereidde ik me voor om eens flink uit te pakken. Zeven uur opstaan en er moest vooral niemand voor mijn voeten lopen, want dan moest ik steeds gaan zitten en dat schiet niet echt op. Ik sloop langs de plinten naar beneden, om maar vooral Pee niet te wekken en rustig mijn eigen gangetje te gaan. Pee kon er beslist niet tegen als je haar abrupt uit een van haar zeven hemelen haalde.
Om acht uur was iedereen de deur uit. Drie dagen zonder afspraken lachten me toe! Wat zal ik eens gaan doen? Bibliotheek, tuincentrum, Utrecht, eeehh... Om een vlijtig liesje-loze zomer te voorkomen besloot ik naar het tuincentrum te gaan.

Eenmaal daar aangekomen stuurde Pee me met de eigenzinnige kar van links naar rechts en van rechts naar links... met bibberende benen en al aardig hyperventilerend zwierde ik tussen de vele planten door. Besluiteloze zone.
Snertplanten. Snerttuincentrum. Snertmens met je kar vol lelijke margrieten.
De juiste kleur Lies kon ik niet vinden. Wat was mijn kleur eigenlijk? Hoeveel plantjes moest ik nemen en waar moesten ze in vredesnaam staan? Ik verlangde naar huis en strompelde voort met mijn lege recalcitrante wieltjeskar richting kassa.
'Mag ik even passeren? Ik kon helaas niet slagen!'
Een venijnig uitziende vrouw keek me argwanend aan en haar jolige, totaal niet bij haar passende man riep: 'Wel effe betalen hoor!' Ha ha, ik lachte als een boer met kiespijn. Gauw naar huis.

Na de lunch en een powernapje besloot ik het gras wel eens even te maaien. Ik kon de dag toch niet zo ellendig afsluiten. Terwijl ik trachtte met Pee op mijn schouders het benodigde onbehouwen apparaat uit de garage te halen, viel er van alles om. Bij het terugzetten hiervan viel er nog meer om. De tuinkussens kregen het plotseling in hun hoofd om ook te rollebollen. Ik had ook eigenlijk helemaal geen zin meer om het gras te maaien. Ik had eigenlijk nergens zin in. Ja, ik had zin in een potje janken. Dus Pee, kom in mijn armen! Het was niets gedaan vandaag.

Dan maar weer buiten hangen in een lekkere tuinstoel, vergezeld van een droppot en een Engelse detective.
Pee had altijd de pest in als ik iets met de grijze cellen ging doen; ze had de ingang daartoe nog niet ontdekt.

De contactlens

Vandaag moest onze tiener voor het eerst haar nieuwe contactlenzen indoen. Nou, dat hebben we geweten.
Je moet dat in alle rust doen. Maar nee, niet eerst iets drinken, 'eerst mijn lenzen!'
Oké, oké. Maar het duurde en het duurde maar en als iets te lang duurt kan het nooit goed gaan. Zo hier dus ook. Pee en ik zaten in de keuken en mochten vooral niet storen.
Na tien minuten hielden wij het niet meer uit en staken ons hoofd om de hoek van de deur. 'En?' 'Shit.' Pee en ik trokken snel onze hoofden terug. 'Maaaam!'
Het onvermijdelijke was gebeurd... Een fantoom voelde zich geroepen om werkelijkheid te worden. De lens was zoek! Nog geen 24 uur in huis, en nu al verdwenen. In het hoogpolige tapijt nota bene.
'Zitten blijven!' gilde ik. 'En vooral niet bewegen!'

Op mijn knieën gedoken, met Pee op mijn rug, voorzichtig met bibberende vingers en een bibberlijf elke centimeter van het ellendige tapijt doorzocht, niets. De parketvloer, niets. Waar is dat verdraaide ding nou gebleven?
Aardig wat verwensingen speelden door mijn hoofd. Pee joelde het uit. Koortsachtig zocht mijn brein naar een oplossing in de wetenschap dat we hier ééns om zouden kunnen lachen.
Schoenen maar uit doen en voorzichtig proberen op te staan.
Wat nu, wat nu? Eerst de stoelen maar voorzichtig verwijderen en daarna de loodzware eiken tafel. De lens zal nu inmiddels wel geplet zijn. We kwamen op het lumineuze idee het tapijt, dat bijna niet te tillen was, voorzichtig op te rollen en luisteren of er wat uit zou vallen. Dat is een voordeel van harde lenzen. Yes! We hadden de recalcitrante lens weer gevonden; en zo op het oog leek hij nog heel te zijn. Wat een opluchting!

'Snel' alle meubelen weer op hun plaats, lenzen schoonmaken en het eerste uur maar niet meer proberen in te doen. Pffff! Inmiddels had Pee mij volledig in de greep.
Pee en ik zegen neer op een keukenstoel; lood in de benen, een stalen frame tussen de schouders. Over de rest zullen we het maar niet hebben.

De schaal met net gewassen wortelen lonkte boosaardig. Dochterlief maar even mee troosten. Samen namen we de oranje vitamines in. Maar zo zuur hadden we ze nog nooit gegeten. Bedorven wortelen! Grretverrdrriee!!

Deze dag is niet meer goed gekomen... een topdag voor Pee.

Nachtelijke strooptocht

De lantaarnpaal liet haar warme lichtstraal door een kier van de slaapkamergordijnen naar binnen gluren en maakte het zo voor mij gemakkelijk de weg naar beneden te vinden. De keukenklok gaf aan dat het pas 3.00 uur was. Hè, zo meteen nog fijn een paar uur slapen. Maar eerst iets eten... Een gevoel van vredigheid kwam over mij. Ik wist dat er vanmiddag na de thee nog enige roomboterspritsen in de koektrommel waren achterogebleven. Zo, nog een beker melk erbij. Als ik nu niet genoeg at, dan zou Pee, tot de wekker weer gilde, zachtjes aan mijn rechterbeen blijven trekken. Er klonk een brutale bons op de deur. De hond, die door zijn reukorgaan was gewekt keek nu vast onder de ruimte van de deur door, naar het lint van roombotermoleculen dat zich eronder door wilde persen. Assertief als de hond is sloeg hij nogmaals met geweld zijn poot tegen de inmiddels gehavende deur. De geur werd sterker, en hij zou en moest door de deur heen voordat het bijna op was. Maar voor mijn nachtelijke metgezel bewaarde ik altijd wat.

Zachtjes opende ik de deur en een wolk van roombotergeur drong nu naar binnen. Het zou grappig zijn als alle geurtjes eens hun eigen kleurtjes hadden.
De spritsen waren inmiddels op.Toch maar geen nieuwe verpakking openmaken. Dat ging altijd met zoveel moeite en gekraak. En Pee lag net lekker als een heilige boon te slapen. In de kelder was nog een geheime voorraad roombotercarrees. De naam alleen al deden me watertanden. Rooomboooter carreees...
Natuurlijk had ik geen honger maar wel een beetje veel trek.
Daar ik toch een paar kilo's was afgevallen, voelde ik mij in het geheel niet schuldig deze zaligheden te verorberen op dit nachtelijke tijdstip. De uitdrukking op mijn gezicht deden de carrees

glimmen. Elke avond voor ik mijn bed inklim, sluip ik nog even naar beneden om me ervan te overtuigen dat er vannacht wat te smullen is. Het zou toch een hele ontgoocheling zijn als je zonder Pee gelukzalig van de trap afdaalde, in de keuken kwam en een lege koektrommel aantrof.

Vandaag was een Pee-dag geweest en ik troostte mezelf dus maar met 4 roombotterspritsen en 2 overheerlijke roombotercarrees. De gedroogde abrikozen smaakten ook goed. Dit is dus vraatzucht, zei een stemmetje in mij, terwijl ik de hond een paar van zijn eigen brokjes gaf.
En nu braaf in je mand, hoor. De braverd was slimmer dan braaf en sloop naar boven waar hij zich aan mijn kant van het bed neervleide. Hij dacht vast; waar geur is is nog eten.
Zo, nu weer lekker slapen hondebeest, en tot vannacht maar weer.
Trusten Pee.

Wie is Pee

Wie is Pee
wat moet ik ermee, wat kan ik ermee

Pee wie ben je, waar kom je vandaan
Je bent vast een lange weg gegaan
Voordat je bij mij kon binnengaan

Toestemming heb ik je zeker niet gegeven
Om mijn lijf zo nu en dan te laten beven
En zeker niet voor de rest van mijn leven

Pee wie ben je, wanneer zul je weer gaan
Waar kom je toch vandaan?

Ben je soms een rusteloze geest
Een parasiet of een ander lelijk beest
Dat graag bij een ander feest

Ben je soms een energieveld
Dat graag nog meetelt
En daardoor met geweld een ander velt

Of ben je soms een rugzak
Die je zelf kunt vullen met gemak
De ene dag wat minder
Dan ondervind ik niet zo veel hinder
De andere dag wat meer
Dan doet mijn ziel zo zeer

Eigenlijk ben je een arrogant stuk vreten
Dat denkt zelf altijd het beste te weten
Je hebt dan ook al aardig wat op je geweten

Regelmatig wil ik je een opduvel geven
Omdat ik zónder jou wil leven
Zónder jou het leven weer opnieuw beleven!

Met de noren aan weer lekker schaatsenrijden
Lange tochten maken, je bevrijden
En zonder angsten autorijden

Dat ik weer kan lopen zoals ieder ander mens
Dat is mijn grootste wens
Met armen die weer willen zwaaien
handen die weer sensueel kunnen aaien

Met spieren die weer hetzelfde als ik willen
Dan zou ik eerst mijn vreugde uitgillen
En daarna met jou een hele grote zure appel schillen

Een leven zonder stijfheid, zonder beven, zonder pijn
Zou dat nou niet zalig zijn?

Ach, we zullen wel nooit weten hoe je bent ontstaan
Pee wie ben je toch en waar kom je vandaan
Wordt het niet eens tijd voor je om weg te gaan

Voor mij ben je de rugzak
En denk vaak hou je gemak
Er komt beslist ooit een dag
Dat ik je van mijn rug gooien mag

Tot die tijd neem ik maar weer een pil
Dan hoor ik van jou een snerpende gil
Want dan word je even buiten spel gezet
En heb ik voor even mijzelf gered

Zonder pardon ben je in mijn leven komen sluipen
En je denkt je met mijn energie te kunnen bedruipen
Nou mooi niet, dan heb je de verkeerde gekozen
Ik ben namelijk je vijand, waar je beter niet kunt verpozen!

Tegen je vechten zal ik met al mijn krachten
Met mijn hart en met mijn hele ziel en zaligheid, dat is wat je kunt verwachten

Want mijn ziel zal sterker zijn
Mijn ziel zal uiteindelijk de opdracht geven
Aan al mijn eigen cellen die nog in mij zijn:

Komt alle in balans! Ik ben hier de baas! Alle cellen in balans!
En ben ik eenmaal weer in balans
Dan geef ik jou Pee de kans
Om te vluchten voor je leven...

Een trouwe viervoeter

Ze luistert naar de naam Chess. De mooiste, liefste en uiterst komische viervoeter ter wereld. Als het om spelen of eten gaat, luistert ze ook naar andere troetelnamen: Hondebeest, ouwe dibbes, dikke muis, stoffeladorus, korstjesdief, vervuiler, dikbil, zwabberaar.

Ze is een goede graadmeter voor mijn stemming.

Als ik in een wilde enthousiaste bui verkeer, staan haar ogen donker en gretig, in voor een rondje rennen om de eetkamertafel, met piepegel in haar bek.
Als ik wel eens mijn stem verhef dan, gaat ze voor de kamerdeur staan in de hoop dat iemand haar erdoor laat, zodat ze naar boven kan vluchten.
Als ik door Pee in een verdrietige bui ben, komt ze haar kop op mijn schoot leggen en moet ik wel huilen om haar droevige ogen. Vervolgens gaat ze dan maar op mijn voeten liggen.
Als ze in de keuken voor mijn voeten loopt, en ik mopper dan eens, verdwijnt ze met een verontwaardigde blik naar de gang. Als ik aan het kruiden van het vlees toe ben, gaat ze met haar kop op de drempel liggen om alsnog haar aanwezigheid te benadrukken.
Als ik heel lief tegen haar praat (rond etenstijd), begint ze uitzonderlijke geluiden voort te brengen en lijkt het alsof ze vandaag voor het eerst gaat praten.
Als we een wandeling door het bos maken, loopt ze soms voor me uit en alsof ze voelt dat het lopen weer eens een strijd voor me is, gaat ze stilstaan en kijkt om met een meewarige blik en als onze blikken elkaar treffen laat ze haar kop diep zakken en loopt vervolgens langzaam door. Dan krimpt mijn maag tot een minimum.

Als ik mijn viervoeter dan weer aanlijn om over te steken, trekt ze een sprint naar de overkant en ik natuurlijk in gestrekte draf er achteraan. Een heerlijk gevoel. Het is wel lastig dat honden hier aangelijnd moeten zijn. Als je dat niet doet, krijg je een bekeuring van een van de vele toezichthoudende mystery walkers.

Pee vindt het tot nu toe allemaal prima met Chess. En voor de toekomst hoop ik dat het zo blijft. Als je eenmaal zo slecht loopt en op je voorvoeten dribbelt, dan wordt het een hele klus om met je hond aangelijnd te lopen. En wat er zou kunnen gebeuren als je bevriest tijdens het oversteken op straat, laat zich raden.

In mijn nabije omgeving heeft een slecht lopende Pee-bezitter een bekeuring gekregen, omdat hij zijn hond los liet lopen. Hij was al een paar keer omver getrokken door de hond en aangezien het beest de bevelen van zijn baas goed opvolgde, besloot de Pee-bezitter de hond, noodgedwongen, los te laten lopen. Tja, een hond moet toch uitgelaten worden.
Als Pee dan zijn zinnen op de hond heeft gezet, wordt het een probleem.

De bekeurde Pee-bezitter heeft inmiddels zijn hond, met immens veel verdriet, een ander thuis moeten bezorgen. Een afgrijselijk maar waar gebeurd verhaal. Als je eenmaal een hond in huis gewend bent, moet het een afschuwelijke leegte zijn wanneer hij of zij er niet meer zal zijn. De troost die een hond verschaft, de blijheid telkens weer als je thuiskomt, de warmte
als hij aan je voeten ligt, de aanspraak... mijn kruimeldief.

En daarom zal ik mijn hondebeest vanavond eens lekker verwennen met rijst en gekookte kip. Als ze straks nog buikpijn heeft, dan mag ze vanavond bij mij op bed slapen... En Pee mep ik onder het bed.

Tandenpoetsen

Tandenpoetsen was iets waar ik vroeger nog nooit een seconde over had nagedacht. Dat was een ritueel, twee of drie keer per dag, jaar in jaar uit. Een automatisme.
Als ik voor de spiegel stond, nam ik de planning van de komende dag door, bereidde me voor op een gezellig avondje uit of genoot na van een belevenis van de vorige dag. Je roetsjte met je borstel altijd in een racetempo over tanden en kiezen heen en deed soms ook nog enkele dingen tussendoor. Zelfs enigszins verstaanbaar gillen tegen een onverlaat die je in het voorbijgaan wilde kietelen hoorde bij het ritueel. De beruchte drie minuten waren dan ook zo voorbij.
Totdat een vreselijke dag zich aandient. De dag dat Pee zich aan je vastklampt en je niet meer loslaat. Al snel laat ze je voelen dat er iets aan de hand is, niet met je tandenborstel maar met je hand of je arm...

Het is curieus, de op-en-neerbeweging gaat af en toe wel; van links naar recht poetsen gaat helemaal niet. Als ik me boos maak gaat het een paar seconden goed. Concentreren dus. Het lijkt alsof er een batterij in de tandenborstel zit die op het punt staat het te begeven. Aan... uit. Aan... uit. Met 32 gebitselementen en elk vijf vlakken waar bacteriën zich thuis voelen, denk ik heimelijk aan een elektrische tandenborstel. Toekomst please, niet nu al!

Ik voel dat ik sta te hyperen en met bibberende benen kijk ik in de spiegel. Al die elementen zijn niet zomaar gepoetst. Er is geen tijd om over de planning van de komende dag na te denken. Alle aandacht is gericht op de tandenborstel die maar steeds hapert en het liefst wil stoppen. Waarom wil dat stomme ding nou niet wat ik wil.

Iemand anders kijkt nu in de badkamerspiegel. Er zijn geen dromerige ogen meer die je aanstaren. Er is slechts een vermoeid gezicht dat met betraande ogen, hangend aan de wastafel, denkt: hoe kom ik deze dag door?

Als uiteindelijk deze 'happening' voorbij is, geeft het een heerlijk gevoel als je tanden weer ontdaan zijn van boosaardige bacteriën. Dan nog even flossen. Als dat dan wel lukt, ben ik helemaal blij. Het is namelijk een hele kunst om het draadje, met bibberende handen, tussen je tanden door te krijgen. Er zijn gelukkig dagen bij dat het wel goed gaat. Vandaag lukt het weer eens helemaal niet.
Ik doe nog een ultieme poging en dan houd ik ermee op en neem mezelf voor om vandaag maar eens lekker breeduit naar iedereen te lachen!

Het zwembad

Buiten stormde het behoorlijk en de ene na de andere hoosbui trok langs.
Vandaag hadden we het goede plan opgevat om na jaren weer eens te gaan zwemmen in het overdekte zwembad.
Bij het betreden van het zwembad kon je de chloorlucht al ruiken en kinderen deden hun best om gehoord te worden. De aanblik van de badhokjes deden me twijfelen of ik niet meteen rechtsomkeert zou maken...

Eenmaal in spannend tenue gestoken liepen we naar de rand van het bad. Het water zou 28 graden moeten zijn, maar voelde koud aan. Nou ja, we zijn er nu eenmaal, dus: wie er het eerst door is!
En daar was dan de grote verrassing. Wat gebeurde er in het water; welke krachten waren hier aan het werk? Niets, ik voelde helemaal niets!! Geen zwaar stijf lijf, geen vermoeide benen, geen pijn waar dan ook! Ik schoot als een vis door het water en kon duiken als een dolfijn. Er was boven of onder het wateroppervlak niets te zien wat ook maar enigszins op de aanwezigheid van Pee duidde.

Na zes banen te hebben gezwommen, want je moet natuurlijk niet meteen overdrijven, de bubbels opgezocht. Daar overkwam je toch wat. Zo moest een boon zich voelen in een koffiemolen. Na een halfuur genieten voelde een niet al te frisse man zich aangetrokken tot de bubbels – of tot mijn persoon? Per slot van rekening mocht ik er nog wel zijn, zo in de bubbels zonder Pee. Als een engeltje verstopt in een wilde wolk bellen wist ik dat niemand wat aan me kon zien. Een grappig gevoel, alsof je incognito bent.

Een hoop lol gehad en voor mijn gevoel kilo's lichter. Met een lijf dat aanvoelde als dat van een topmannequin waagde ik het een elegante poging te doen om het gladde zwembadtrapje te beklimmen. Het leek of ik al het aanwezige zwembadwater met me meezoog de trap op. Met verbijsterde blik, hangend aan het trapje, hoefde ik niet lang na te denken wat er aan de hand was. Pee had zich ongezien ook in het bad begeven en besloot er samen met mij weer uit te gaan.

Eindelijk in het hokje aangekomen, besloot ik eerst Pee over de deur te hangen en daarna mezelf snel af te drogen en aan te kleden. Alles verliep jammer genoeg anders. Het afdrogen duurde een eeuwigheid, de handdoek was te dik en maakte het mijn stijve bibberhanden erg lastig. Het aankleden duurde een dubbele eeuwigheid.
Ondergoed schijnt er genoegen in te scheppen lekker aan je vast te plakken. Je moest eigenlijk in dit soort situaties een soort omkleedstrandjurk hebben om over je hoofd te trekken. Niet afdrogen en gewoon naar huis gaan, met of zonder ondergoed...

Na een uitgebreide brunch voelde mijn hele lijf zo krachteloos aan, dat ik niet meer wist of ik moest gaan zitten of liggen. Dat een mens zo moe kan zijn! Ik was zo lastig en vervelend dat men mij van ellende maar naar boven heeft geduwd. Ik rolde in mijn bed met alleen nog maar de gedachte aan slapen, slapen, slapen. In de vaste overtuiging dat na deze superpowernap al mijn door elkaar geschudde moleculen hun plaatsje wel weer zouden hebben gevonden.

Nieuwe mensen

Als ik terug kijk op de intens verdrietige periode na het overlijden van mijn moeder, dan heeft het verwerkingsproces goed werk verricht. De emotiemolen draaide overuren. De dreun die je krijgt na het verlies van een dierbare, de enorme leegte die je overvalt; de snelle afwisseling van paniek- en wanhoopaanvallen, teleurstelling, eenzaamheid, het zo sterke verlangen om bij die persoon te zijn, de letterlijke zielenpijn, allemaal emoties die zich vanzelfsprekend niet zomaar laten beschrijven. Tot je bijna verteerd bent, er niet veel meer van je over is, en ook Pee nog eens om de hoek komt kijken. Maar dan doet de overlevingsdrang zich gelden. Dan kom je in de doolhof te staan voor de beruchte T-splitsing: linksaf of rechtsaf? Erop of eronder! En ja, ik wilde een andere weg inslaan. Maar hoe deed je dat? Ik mediteerde urenlang, schreeuwde en huilde en kwam er vervolgens zelf niet uit. Toch maar eens hulp van een aantal personen 'hierboven' ingeroepen. Het juiste pad kiezen is niet eenvoudig.

Een halfjaar later voelde ik dat er ergens in mijn onderbewustzijn een juiste keuze was gemaakt. Het nieuwe pad van een nieuwe wereld openbaarde zich. En zowel binnen als buiten mij zag alles er ineens heel anders uit. Ik had een nieuw leven gekregen! Een nieuw leven! Daar moest ik wel een hele goede, zinvolle invulling voor zien te vinden.

Bij een nieuw leven horen echter ook nieuwe mensen. Zo deden in mijn nieuwe leven de Pee-mensen hun intrede.
Pee-mensen zijn stijve mensen, bibbermensen, vallende mensen, onverstaanbare mensen, rond-om-zich-heenslaande mensen, deprimensen, strakke mensen, gekkeloopjesmensen, overbeweeglijke mensen, bevroren mensen, lieve mensen, hartelijke mensen,

talentvolle mensen, meelevende mensen, begripvolle mensen, herkenbare mensen...

Lieve Pee-mensen, dank dat jullie in mijn leven zijn gekomen; mede door jullie heeft mijn leven weer vorm en inhoud gekregen.

Drie op een rij

Wat een zomer! Het was om te smelten. Overdag wist je je geen raad met jezelf en 's nachts al helemaal niet. Ook deze nacht was er weer geen doorkomen aan. 'Mam, ik kan niet slapen.' Nee, wie wel? Niemand kon slapen. 'Kom er maar lekker bij liggen, maar niet tegen me aan!'
Daar lagen we 's nachts om drie uur met z'n drietjes op een rij. Alle ramen met en zonder hor stonden open. Wat erin vliegt, vliegt er ook wel weer uit, hoopte ik stilletjes. Op muggenjacht in deze sauna was geen aanlokkelijk vooruitzicht.
Het was wel gezellig, zo'n nachtelijk kletsuurtje in onze niemendalletjes.
'Waar is Pee nou, mam?'
'Uhhm, heel ver weg. Ik ben nu zonder Pee.' Kijk maar. Ik deed mijn rechterbeen omhoog en daarna het linkerbeen. Doe dan effe mee, ja! Twee linkerbenen schoten de lucht in. De een wat rechter dan de ander.
Linkerarm, rechterarm. Ja zeg, daar is het een beetje te warm voor. De hond kwam ook maar eens boven kijken. Als er 's nachts gelachen wordt, valt er vast ook wel wat te eten. We genoten van de zomerse geluiden buiten. Een bromfiets die rustig voorbij tufte, een hond die in de verte blafte, een paar dronken pubers die de slappe lach hadden om de afbeelding op de DepoDog. Het werkte aanstekelijk. Zullen we maar eens iets gaan drinken?

Wonderwel weer een speciale nacht zo zonder Pee. Leg dat maar eens uit. Waar zit die booswicht nu weer en hoe kan het toch dat ze soms gewoon weg is? Dankbaar voor dit gevoel weer eens mijn oude ik te zijn, besloten we nog maar een poging te doen om te gaan slapen. Ik wilde snel slapen om dromenland een bezoek te brengen. In dromenland was ik altijd zonder Pee...

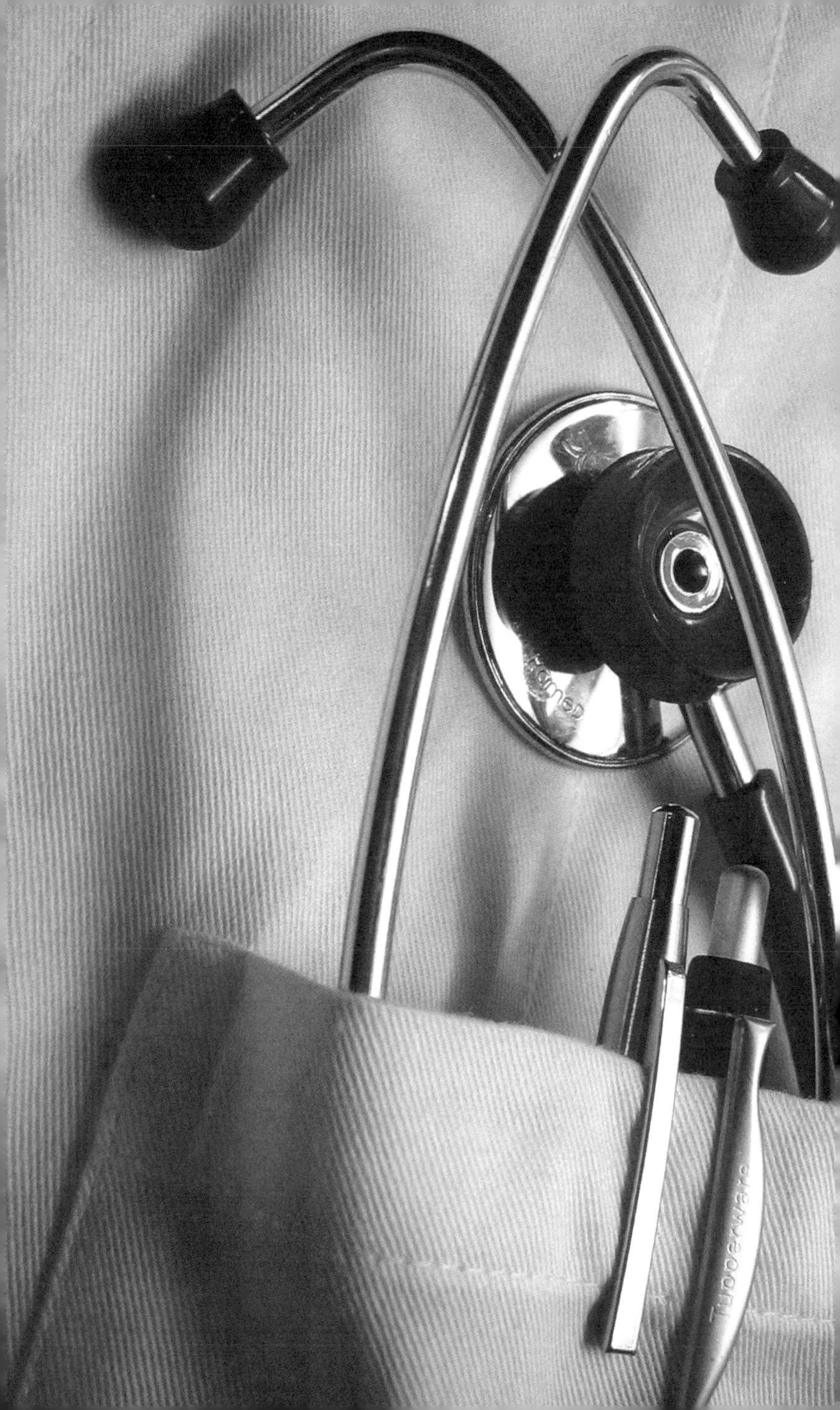
Tupperware

In de revisie

De auto krijgt elk jaar een oproep voor een controlebeurt en één om de banden te verwisselen. Ook de hond krijgt twee keer per jaar een oproep van de dierenarts. De tandarts laat twee keer per jaar per e-mail iets van zich horen. Kinderen krijgen automatisch oproepen voor vaccinaties, groei- en ontwikkelingscontrole. Naar de huisarts ga je alleen als het nodig is. Bij de neuroloog kom je soms één, soms twee keer per jaar om de medicatie bij te stellen. Dus iemand zou toch het gat in de markt moeten zien om Pee-bezitters één keer per jaar uit te nodigen om te zien hoe het met bloed, bloeddruk en hart staat? Zijn de vitaminewaarden in orde? En hoe staat het met de vetzuren, zijn er antioxidanten of steunkousen nodig? Steunzolen of aangepaste schoenen? Thuiszorg? De 'social talk' niet te vergeten.
Als Pee-bezitter voel je je soms alleen, in de steek gelaten.
Wie denkt er met míj mee...

Vandaag voer ik dan maar mijn eigen revisiedag in. Een grote beurt was hard nodig. Na een grondige inventarisatie bleek het volgende te moeten gebeuren:

- Steunzolen of aangepaste schoenen, want mijn rechtervoet zakt door waardoor ik steeds moeilijker ga lopen en steeds meer de neiging heb om naar rechts te vallen. Ook de klachten aan rechterarm, -been en -schouder komen hieruit voort.
- Steunkousen om de vermoeide, zware benen met spataderen verlichting te geven.
- Leesbril om te kunnen blijven lezen, mijn ogen gaan wel heel snel achteruit.
- Massage om de enorme spierspanning op te heffen.
- Antioxidanten om me weer fit te gaan voelen, beetje extra

ondersteuning kan geen kwaad met de R weer in de maand.
- Visolie om de omega 3-vetzuren aan te vullen. Aan twee keer per week vette vis eten kom ik niet toe...

Met bovenstaande maatregelen zou ik me zeker een ander mens voelen, kan ik het leven met Pee beter aan.
Een nieuwe outfit is eigenlijk ook wel welkom en een ander hoofd is noodzakelijk. Zou ik mijn haar eens paars verven? In ieder geval oogt het vrolijker.
En als ik dan eindelijk tevreden ben over mezelf, dan ga ik nu potverdikkeme eens even echt van het leven genieten.

Tot ik weer wordt opgeroepen voor de volgende controlebeurt...

Soortgenoot

Eindelijk was ik eraan toe om eens een soortgenoot te ontmoeten. Ik had een gesprek bij mij thuis met een bemiddelaar van Pee-bezitters. Een verzorgde, charmante vrouw leidde het gesprek. Tot mijn grote verbazing vertelde ze in de loop van het gesprek dat ze ook een Pee-bezitter was. Al zestien jaar. Een sprankje hoop kwam over. Zo erg kon het dus ook weer niet zijn. Totdat elk uur haar medicijnpieper van zich liet horen en een handvol pillen tegelijkertijd naar binnen gewerkt werd en het gesprek overging op hallucinaties...

Vandaag zou mijn tweede kennismaking zijn met een andere Pee-bezitter. Ik was dan ook zeer benieuwd of we overeenkomsten hadden en verheugde me op een informatief koffie-uurtje. Gedeelde smart was dan ook halve of dubbele smart.
Een hartelijk vrouw deed de deur open en ging me voor naar de woonkamer. Ik liep braaf achter haar aan en tot mijn verbazing zag ik dat we in dezelfde ganzenpas achter elkaar aan liepen. Een soortgenoot. De woonkamer was zo ingericht, dat je goed kon lopen zonder te struikelen. Ook de sta-op-stoel herkende ik.

Ze was erg nerveus en vermoeid dus stelde ik voor de koffie in te schenken, waar ze geen nee tegen zei. In ons gesprek bleek dat we bijna dezelfde lasten hadden van Pee, zij het in andere gradaties. Nadat ze mij ook haar rolstoel en krukken had laten zien, vertelde ze me dat ze sinds kort een spraakherkenningsprogramma op de computer had omdat ze met haar stijve vingers niet goed meer kon e-mailen. Even later was het tijd om afscheid te nemen van deze lieve, hartelijke vrouw, die al tien jaar een Pee in huis heeft. Ik sprak met haar af dat ik mijn best zou doen om een koffieochtend te organiseren met meerdere soortgenoten.

In de auto kon ik mijn tranen de vrije loop laten. Hoe lang zou het duren voordat ik er ook zo aan toe zou zijn? Toch was het een opluchting om met een soortgenoot te praten. Het is toch de enige persoon met wie je kunt ‘lachen’ als je over je tas struikelt, de bonbon niet uit het schaaltje kunt pakken, ruzie hebt met de sleutels in je jaszak, de deur niet openkrijgt of moeite moet doen om uit een stoel op te staan.

Een soortgenoot zal je geen soep of spaghetti voorschotelen en zeker geen taart met lastige bodem...

De autorit

Ik reed op de snelweg en was op weg naar mijn vriendin in het zuiden des lands. Al vroeg in de ochtend was ik vertrokken, want het was zeker anderhalf uur rijden. De hoop niet in een file terecht te komen was dom, daar Nederland zonder files niet meer denkbaar is.
Al geruime tijd had ik niet meer de behoefte om op de linkerbaan te planken. Het ging me te snel tegenwoordig. Vandaag het besluit genomen om achter een vrachtwagen te blijven plakken. Lekker veilig. Dat dacht een andere vrachtwagen ook en ging achter mij plakken. Ik blokkeerde plotseling en durfde de vóór mij rijdende vrachtauto niet in te halen, want links kwam er ook nog eens een naar binnen kijken. Kon ook hier eraf gaan voor een sanitaire' stop. Het was nog ver.
De vrachtauto achter me deed niet zijn best om afstand te houden en ik kon wel raden wat de chauffeur dacht. Ik ging een poging doen om in te halen, maar ik zat nog niet op de linkerbaan of er kwam bijna van achteren een snelle Golf binnenrijden.
Even planken tot je er voorbij bent en dan rustig verder op de rechterbaan, maande ik mezelf. De rechterbaan zat echter vol met vrachtauto's en ik kon er mooi niet tussen.
Doorplanken! O nee, daar kwam die vervelende bocht aan waar ik dacht ooit eens uit te vliegen. Het gevoel van hoogtevrees deed zich hier altijd gelden. Alsof je in de bergen langs een ravijn reed. Mijn armen voelden inmiddels aan als lood en ik had moeite om de auto in het midden van de rijbaan te houden.
Gelukkig, daar kwam al ruimte op de rechterbaan! Ik manoeuvreerde naar rechts en haalde opgelucht adem. Ik was verdikkeme nog niet eens op de helft. Toch maar een stop maken? Pee zat te gieren op de achterbank, trok lange neuzen naar voorbijgangers, waardoor er vele boze blikken naar binnen werden geworpen.

Waar was de tijd gebleven dat ik, met een vriendin in een oude kever naar Zuid-Frankrijk scheurde, waar we midden in de nacht de Corniches verkenden tussen Nice en Monaco? Van de Haute Corniche naar de Moyenne Corniche en weer terug, en nog eens want die bocht was wel heel spannend. Van de woorden angst en hoogtevrees had ik nog nooit gehoord.

Eindelijk, daar was de afrit Geldrop al. Mijn blaas stond inmiddels op springen. Nou zeg, nu zat er toch een BMW écht bijna in mijn auto. Alle yogalessen ten spijt trapte ik even op de rem en gaf direct weer gas. De man is zich zeker een ongeluk geschrokken, want later haalde hij me in en maakte een zeker gebaar met zijn middelvinger. Ik keek naar hem en zwaaide heel vriendelijk. Nu was ik er bijna. Even bellen dat ik om de hoek ben. Mijn vriendin stond buiten al te wachten.
Ik begroette haar vanuit de verte en terwijl ik haar de sleutels toewierp en riep: 'Mijn tas ligt nog in de auto', stormde ik naar binnen.

Afzien

Ik bevond me op de loopband in de oefenzaal van een fysiotherapiepraktijk. Keek eens om me heen en vroeg me af wat de anderen voor klachten hadden. Waren dit mensen met een chronische ziekte of kwamen ze voor het vermaak?
Toen zag ik een bekende Pee-bezitter, die op de roeibank een record trachtte te verbeteren. Ik zag haar in de spiegel heen en weer gaan met een strak gezicht; ze leek wel een prijsje dat heen en weer ging in de schiettent op de kermis.
Ik riep: Peetjuh! En dan lachten we weer. Typisch dat wij, die al zo moe en stijf zijn, ons hier in het zweet moesten werken.

Pas op! Niet kletsen, anders moesten we een extra toestel doen. Onze strenge begeleider was een ijzeren dame. Zoals je ze vroeger op zwemles had. En een extra toestel betekende meestal de zo gevreesde crosstrainer. Als ik daar afkwam, voelde ik me half dood. 'Geen gezeur,' riep ze dan, 'alleen maar bewegen, anders worden jullie nog stijver. Jullie hebben een conditie van nul komma nul!'
Ik kreeg haast de indruk dat de ijzeren dame ons in het geniep had opgegeven voor de Pee Ladies Run. Dat zou dan wel het een en ander verklaren.

Ondertussen vroeg ik me wel af of ik dit de rest van mijn leven zou willen blijven doen. En als je daar eenmaal aan gaat twijfelen, dan ga je vanzelf andere mogelijkheden aftasten.
Ik nam de beslissing om eens twee maanden lang elke week te gaan zwemmen. Niets zo goed voor een mens als de broodnodige variatie. In het zwembad ontmoette ik iemand die geïnteresseerd was in Pee en graag een afspraak met ons wilde maken. Zij zou dan proberen dat varkentje (Pee) wel eens te wassen.

Na diverse kneed- en kraaktechnieken was Pee wel gewassen. Het loden gevoel in schouders en armen was verdwenen, net als de pijn in kuiten en schouderkoppen!
De monnikskapspier was van schrik weer in zijn oorspronkelijke positie gesprongen en ik liep weer enigszins recht. Niet dat Pee verdwenen was, maar ze hield zich toch even gedeisd.

Dus om de strijd tegen Pee vol te houden: doe af en toe iets waar je je echt lekker bij voelt, doe af en toe eens éven gek, doe eens éven iets anders, ga eens lekker uit je bol!

Los vel

IIEEEK! IIEEEK! Met verbijstering keek ik nog eens in de spiegel, welke in het zonnetje stond op de vensterbank van mijn slaapkamer.
Ook al heb je een haarvrij gezicht, een huidje zonder rimpels en zonder puistjes, er valt altijd wel iets afschuwelijks te ontdekken als je in een grote spiegel kijkt. Zeker als dit ego ontnemende ding ook nog eens de zonnestralen laat weerkaatsen op je gezicht.

Zo gebeurde het deze ochtend, dat ik zonder mezelf van tevoren te waarschuwen, een zelfverzekerde blik wierp op die ander in de blinkende ovale spiegel.
Wat zag ik daar? WAT ZAG IK DAAR??
Een weliswaar klein, maar toch zichtbaar piepklein loshangend vel onder mijn kin!
Het zal toch niet waar wezen? Ik keek nog eens goed en ik zag nog meer minuscule rimpelvellen. Een leeftijd verradende nek waar iedere vrouw zo bevreesd voor is, had zich zojuist spontaan aangekondigd. In mijn hoofd doemden beelden op van rondrennende kalkoenen met loshangende trillende befjes.

Natuurlijk spoedde ik mij diezelfde dag nog naar de winkel om een pot decolleté-crème aan te schaffen en ben direct aan het smeren gegaan.
Nou ja, smeren... Pee hield ook van smeren en zorgde ervoor dat ik met mijn lichtelijk trillende vingers vreselijk veel moeite had de crème in te masseren. Snotverdrie.
Cirkeltjes draaien! gaf ik aan mezelf de opdracht. CIRKELTJES...
Draaide ik linksom dan draaide Pee rechtsom. Een drukke bedoening daar voor die spiegel! Mascara en lipstick aanbrengen was al

enige tijd een megaklus, nu dit gedoe er weer bij. En als iemand nog durft te zeggen: Als je haar maar goed zit...

Van beneden naar boven strijken adviseerde de verkoopster in de winkel. Dus verschillende pogingen gedaan de vingers plat tegen elkaar opwaarts te bewegen. Zijwaarts lukte beter. Hopelijk zou de exorbitant dure crème zo ook zijn wonderbaarlijke functie vervullen.

Ondertussen dwaalden mijn gedachten terug in de tijd. Een tijd waarin hartstochtelijke lippen langs mijn, destijds nog, mooie gladde hals hun weg naar beneden vervolgden. En hardop lachte ik, terwijl ik terugdacht aan het moment waarop ik mijn eerste zuigzoen in de spiegel constateerde. Eeuwen geleden.

Als Pee snode plannen had al mijn spieren te verstijven, waarom nu net deze dan niet?

Ik zou het gevecht met Pee aangaan.

Je kunt er beroerd uitzien en je kunt er redelijk uitzien. Maar wat is haalbaar? Er zo goed mogelijk uitzien. Dat gaat nu eenmaal weer niet vanzelf. Dus nam ik mezelf voor elke avond even 10 minuten aan gezichtsmimiek te doen.
Dat kan er ook nog wel bij naast 10 minuten voetmassage... en 10 minuten ontspanningsoefeningen... en 10 minuten... en 10 minuten...

De beeldschone Cleopatra had het destijds beter voor elkaar...

Ritme zoek!

Ik hield van dansen op een bar en feesten tot de vroege uurtjes van een nieuwe dag. Daar dacht ik aan terug op het moment dat ik geheel verbijsterd constateerde dat mijn ritme mij verlaten had. Waar was zo plots die mooie tijd gebleven?

Op een kwade dag kwam ik, tijdens een poging uit de band te springen, tot de ontdekking dat ik even uit het ritme was. Dat was me nog nooit overkomen; het moest een vergissing zijn. In een flits zag ik Pee aan een bungelend elastiek voorbij zwieren met mijn ritme. Ik was altijd zo blij geweest dat ik goed kon dansen en een uitstekend gevoel voor maat had. Dat had ik van mijn vader geërfd en daar was ik dan ook bijzonder trots op. Nu ging dat infantiele wezen er zomaar mee aan de haal!
Ik erachteraan; stel je voor dat ik het niet meer terugkreeg. Ik kreeg haar natuurlijk niet te pakken, ze was me steeds te slim af. In het weekend maar eens wat oude muziek downloaden. Met de herinnering van toen in combinatie met de muziek, moest het toch weer lukken.
Nu weet ik dat ik Tina Turner met Proud Mary misschien beter niet had kunnen kiezen, maar het nummer begon zo rustig, zo heel langzaam en eindigde met zo veel spirit.
De muziek dus...

Dat Pee me mijn ritme had ontstolen was overduidelijk.
Ik begreep eindelijk het lijden van mijn man, die zich tijdens mijn wanhopige pogingen hem enig gevoel voor maat bij te brengen (maar uiteindelijk ritmeloos was en bleef) doodongelukkig moet hebben gevoeld.

In een weemoedige, enigszins verslagen stemming kwam via de

concertzender ineens een geheel ander geluid tot mij. Ach, een mooie wals van Lehár. Ik stond op, sloeg Pee in een hoek en zweefde voor mijn gevoel als een veertje boven de parketvloer. Met een perfect gevoel voor maat en ritme danste ik door de kamer. Wat een verrassing! Walsen kon ik nog als de beste! Die avond nog heel wat walsen gewalst. Alleen dan, zonder man… en zonder Pee.

De zwerftocht van Pee

Op een dag confronteerde Pee me met een heftig gesprek; ze wilde nu eindelijk eens weten waar haar roots lagen. Ik beloofde mijn best te doen om te ontdekken waar haar thuisland was. Daarvoor moest ik wel enige jaren terug in de tijd.

De jaren 1958 tot 1978 waren voor mij twintig overgelukkige jaren geweest. Dank aan liefdevolle ouders, familie en vrienden.
Een ernstig auto-ongeluk in 1978 bracht daar resoluut verandering in. De vele glassplinters in mijn ogen en neus had men op dat moment niet gezien en zijn er een dag later pas uitgehaald. Vele jaren getobd met een moeilijke ademhaling door de neus. Jaren later voerde ik het reukverlies dan ook terug op het auto-ongeluk.
De jaren 1979 tot 1991 werden gekenmerkt door een drukke baan, het overlijden van mijn vader, zelfstandig gaan wonen, diverse inbraken, een insluiper onder mijn bed en een gewapende bankoverval, maar ook een huwelijk. Tijdens onze huwelijksreis in 1991 maakten we een autorit van Wenen naar Italië en daar overviel mij, volslagen uit het niets, een gevoel van hoogtevrees. De jaren daarna nam het enigszins belachelijke vormen aan.

De bevalling in 1992 was een compleet drama. De beslissing over een tweede zwangerschap had ik ter plekke al genomen. Na een halfjaar bleek een overactieve schildklier de oorzaak te zijn van mijn uitgeputheid en vijftien kilo afvallen. Ergens in deze periode hield mijn reukorgaan het voor gezien.
In datzelfde jaar ben ik minder gaan werken. Kreeg vragen van mensen waarom ik vaak zo boos keek. Ik was helemaal niet boos, het masker kwam al om de hoek kijken. Mijn oververmoeidheid was eenvoudig te verklaren: een drukke baan in combinatie met een kind.

Mijn moeder kreeg in 2000 te horen dat ze de ziekte van Alzheimer had. Gezien de situatie in de verpleeghuizen hebben wij haar bij ons in huis genomen. (Alle lof aan mijn echtgenoot.)
Ik had mijn baan opgezegd. De vermoeidheid nam toe. Mijn handschrift werd slechter. Oorzaak gezocht in te weinig tijd, te gehaast zijn. Het was tenslotte drukker geworden in ons huis.
Het zo onverwachte overlijden van mijn moeder in oktober 2003 heeft grote impact gehad op ons leven.

9 oktober 2003. De voor- en achterdeur stonden open en Pee greep haar kans. Ze wandelde zo naar binnen met alle symptomen van Parkinson in haar koffer. 'Mag ik blijven?'
In mei 2005 werd de diagnose gesteld. En ja, je moest blijven!

Na enig puzzelen met jaartallen en gebeurtenissen kon ik Pee vertellen dat haar roots in het Gooi lagen. Ze was een zwerfkind en leefde al jaren dicht bij me in de buurt. Ze wilde pertinent bij mij komen wonen en heeft haar tijd afgewacht.
Het is net als bij overvallers en insluipers. Ze observeren je een tijdje en als je al je deuren openzet, komen ze vrolijk binnen wandelen. Ik legde Pee uit dat er maar één verschil was. De boeven vertrekken. 'Ben je dan niet gelukkig met mij?' vroeg ze. 'Nee, Pee,' zei ik en de tranen sprongen me in de ogen. 'Ik ben niet echt gelukkig met jou en jij ook niet met mij. We passen niet bij elkaar. Maar ik beloof je dat wereldwijd naar een oplossing voor zwerfkinderen zoals jij gezocht wordt. Tot die tijd mag je bij me blijven. Ik zal je elke dag je pilletjes geven. Zo veel als nodig is. Laten we het elkaar niet te moeilijk maken voor dat poosje dat we nog samen zijn.' 'Beloofd?' 'Beloofd!' 'Geef je dan een afscheidsfeestje voor mij?' Ik nam haar in mijn armen en zei: 'Pee, dan geven we een wereldfeest!'

Kerstkaarten

Zodra Sint en Piet hun hielen hadden gelicht spurtte ik naar de stad om een keuze te maken uit de prachtige kerstkaarten en -zegels.
Als thuis de kerstboom weer op zijn vaste plekje in de erker staat en de tonen van het Weihnachtsoratorium van Bach zich laten horen, dan weten we dat het feest kan beginnen. Op tafel ligt de stapel nieuwe kerstkaarten, geflankeerd door het adressenboek, de kerstzegels en de vulpen; ze hadden er zin in. Het is voor de kaarten elk jaar opnieuw een hele eer om de functie van contactzoeker te mogen vervullen.

Correspondentie dient er altijd onberispelijk uit te zien, daar bestaat geen discussie over. Een mooi handschrift is echter een gave die ik helaas nooit heb gehad. En Pee vindt het schitterend als ze het weer voor elkaar krijgt dat de woorden die ik met de grootste moeite op papier heb gekregen, direct onleesbaar worden verklaard.
Ik zou dan ook mijn uiterste best doen in ieder geval de prachtige postzegel van een correcte uitstraling te voorzien. Dat zou nog een hele opgave worden met steeds een duw van Pee tegen je elleboog. Je zou af en toe... Nee, dat was niet de juiste kerstgedachte...

De kaarten werden wel een probleem. Ik ben namelijk altijd al een fervent tegenstander geweest van de Afzenders. Dat zijn mensen die net voor de kerstdagen nog even te veel kaarten willen versturen en om die reden alleen hun naam erop schrijven, en verder niets. Niets over zichzelf en al helemaal niet over jou.
Als ik een eenmaal geschreven kaart in een envelop wil stoppen, zegt Pee: ‘Nee, eerst de hoekjes omvouwen.’ Maar dat wil ik niet. ‘Ik wil geen ezelsoor, druiloor!’ Dus als mijn hoekje er eenmaal

inzit en ik het tweede hoekje erin wil stoppen, haalt Pee het er net zo snel weer uit. En Pee geeft niet gauw op. Ik wel. Van mijn kant wordt het al snel proppen.
Dus bij deze excuses aan menig ontvanger van gekreukte post mijnerzijds.

Zo, de eerste twee kaarten zaten in de envelop. Er viel niets op aan te merken.
Bij de derde kaart wil Pee ook laten zien dat ze prachtig kan schrijven. Vooruit dan maar.
Het werd ineens een compleet slagveld. Grote letters werden kleine letters; kleine letters werden golvende lijntjes; en dan ineens een grote kras.
Ik had er schoon genoeg van!
Maar het was nog te vroeg om bij de Afzenders aan te schuiven.
Dat wordt toch een ronde bellen vanmiddag en vanavond.
En terwijl ik mezelf die avond een glas wijn inschonk, was ik oprecht benieuwd hoe het met iedereen zou zijn. Dat was mijn oplossing! Voortaan gewoon even bellen.

Een dief

Eindelijk had ik mijn man zo ver gekregen mij te vergezellen naar de stad. Niet dat ik een chaperonne nodig had, maar het was bijna 5 december en de gedachte aan de ellenlange rijen bij de kassa's deed me nu al hyperventileren.

Na enige zelfopoffering stond mijn echtgenoot buiten al ongeduldig met de fiets te wachten. Er kwam een donkere wolk aan en ik hoopte dat we op tijd in de winkel zouden zijn.
Doordat ik zo moest jagen, was ik vergeten mijn goede schoenen aan te doen; op deze die ik nu aanhad slofte ik een beetje. Had ook mijn te dikke jack aan. Vooruit maar.
We spraken af dat ik de cadeautjes bij elkaar zou zoeken en dat mijn man zich zou scharen in de ellenlange rij. Nu hebben alle mannen geloof ik een hekel aan winkelen, dus het een en ander diende snel te gebeuren, wilde ik niet met lege handen huiswaarts keren.

Eenmaal in het drukke warenhuis sloeg Pee toe. Mijn armen leken wel houten stokken en ik stopte mijn handen van ellende maar in de zakken van mijn jack. Daarbij zag ik er niet al te florissant uit. Thuis, als iemand duidelijk ongeduldig staat te wachten, vergat ik altijd iets. Mijn haar, dat de laatste tijd een eigen leventje leidde, had ik met een chemische wolk nog in een bepaalde vorm kunnen kneden. Het gezicht gemakshalve vergeten. Kortom, ik zag er niet echt elegant uit. Blijkbaar zagen het personeel en de beveiligingsman in de winkel dat ook. En ja hoor, daar kwam een achterdochtige medewerkster aan met de vraag: 'Zoekt u iets?'
Mijn duiveltje speelde even op en zei bits, terwijl ik van links naar rechts viel: 'Ik dacht van wel ja, het is bijna 5 december.' Ik draaide me subiet om en viel bijna in de armen van de veiligheidsman.

Na een poging te glimlachen naar de man verstijfde ik plots door zijn op mij gerichte blik. Ja, ik liep als een zombie, zonder tas, met mijn beide handen in de zakken en slofte als een junk langs de rekken met de veelvuldige kleine snuisterijen. Natuurlijk dacht die achterdochtige dame dat ik iets wilde stelen en natuurlijk had de beveiligingsman dat ook in zijn hoofd. Bij binnenkomst van het warenhuis stond hij namelijk voor in de zaak en nu hijgde hij in mijn nek met een gelukzalige blik, zoals die mensen kunnen hebben als ze net op het punt staan iemand te grijpen. Van Pee hadden ze nog nooit gehoord.
Gelukkig kwam mijn man me al te hulp snellen en de sfeer sloeg om. Met armen vol hebbedingetjes togen wij richting kassa; mijn man in de rij en Pee en ik buiten de rij, wat zeker ook al verdacht was. Ze kwamen nog eenmaal kijken of er wel werkelijk afgerekend werd.

Bijna twee jaar waren Pee en ik samen en ik zag er nu al uit als een dief. Dat beloofde wat... en even zwolg ik in zelfmedelijden.

Chapeau!

Zeven uur. De wekker schreeuwt het uit! Ik racete mijn bed uit: snel douchen, aankleden, tafel dekken voor het ontbijt. Even checken: lunches klaargemaakt, drinken klaargezet. Op tijd klaar!
De een gaat om half acht weg om op tijd een eigenzinnige trein te halen. Om acht uur het kind naar de crèche brengen. Om half zes eten halen voor vanavond.
Racen! Om half negen dien ik op mijn werk te verschijnen. Ah, heerlijk, een schitterend drukke dag voor de boeg. Alles liep op rolletjes. Het was een prima werkgever, de bank, waarvan de naam niet genoemd mag worden. Ik had het dan ook reuze naar mijn zin. Het was mijn tweede thuis geworden. De laatste tijd ging het alleen niet meer zo vanzelf. Soms reed ik in mijn auto op een traject waarvan ik me afvroeg: waar zit ik in hemelsnaam? En één keer, tijdens de middagpauze, liep ik buiten een rondje en wist ook even een paar seconden niet waar ik was, of wat ik ging doen. Really frightening.

De spirit was er een beetje uit. Mijn chef bood me een leuke job aan waarvan ik voorheen uit mijn dak zou zijn gegaan. Maar de mededeling over studies en de avonden extra beschikbaar zijn voor klanten deden me hem met afgrijzen aanstaren. Wat was er met me aan de hand?
De orders van klanten aannemen ging nog wel, maar het kostte me moeite om te ordenen en dossiers samen te stellen.
Mijn tred dacht ook: bekijk het maar! Ik liep alsof ik kilometers door het mulle zand moest lopen en smachtend uitkeek naar de verderop liggende verharde weg.

Het gevoel de hele dag tegen de zwaartekracht te moeten vechten deed me 's avonds instorten.
Zou ik eens contact opnemen met de bedrijfsarts? Wellicht heeft hij ervaring met Pee-mensen. Tenslotte hebben nu drie op de duizend mensen een Pee bij zich. Bij een bedrijf met twintigduizend medewerkers zouden er theoretisch zestig Pee-collega's zijn.
Tijd om eens contacten te gaan leggen. Zouden er veel mensen zijn die uit zichzelf minder gaan werken met alle financiële gevolgen van dien? Het is niet te hopen.
Ha, hier was een schone taak voor mij weggelegd. Pee voorstellen in het bedrijfsleven. Als elk bedrijf gewoon dit boek aanschaft en laat circuleren onder alle werknemers, dan wordt Pee waardig voorgesteld aan collega's, leidinggevenden en bedrijfsarts, en wordt er hopelijk meer begrip getoond. Het zou mooi zijn als allen naar een werkbare en leefbare sfeer voor hun Pee-collega streven.

Door middel van dit verhaal wil ik mijn oprechte bewondering uitspreken voor allen met een Pee die nog een baan hebben, al dan niet in combinatie met een gezin.

Chapeau!

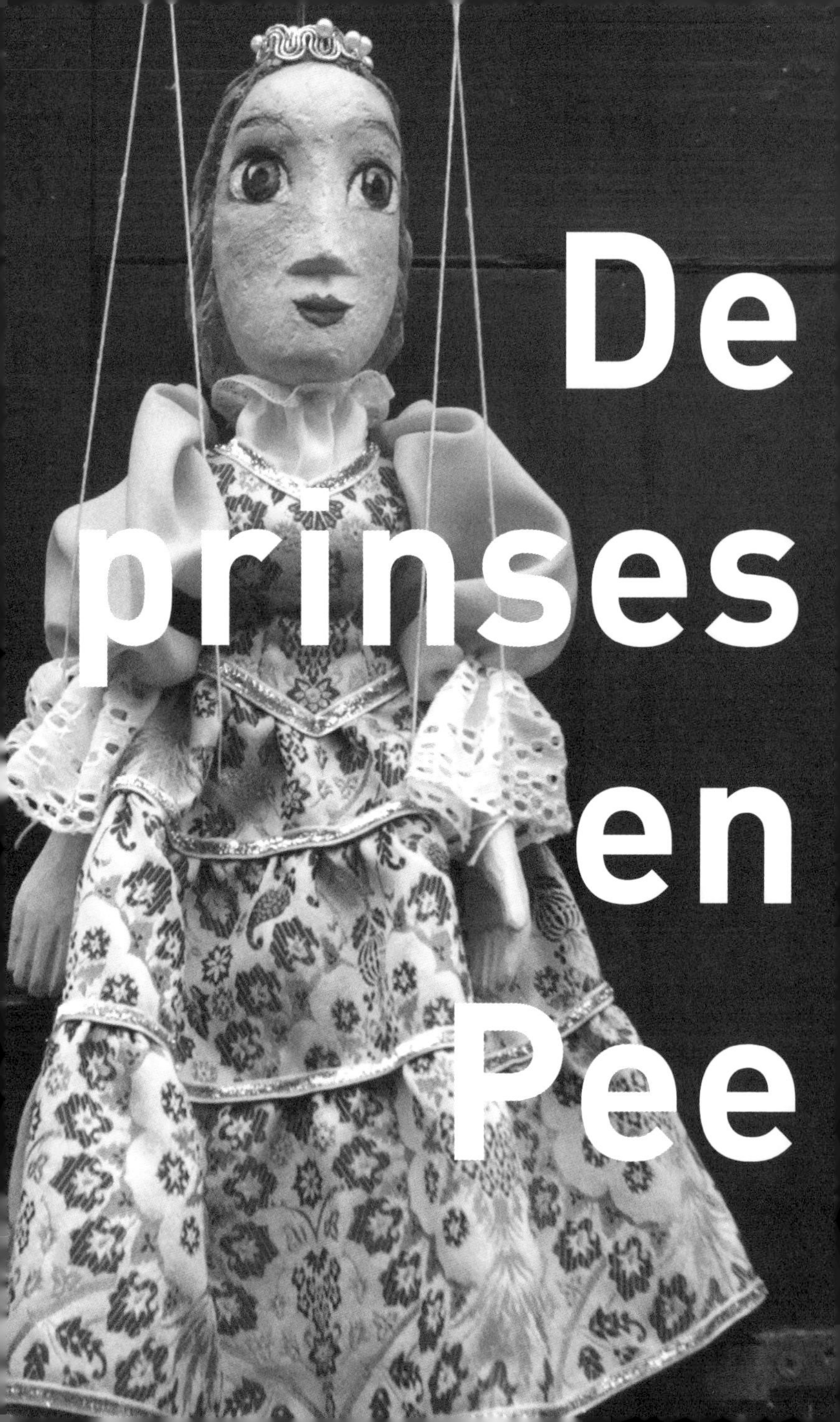

De prinses en Pee

De prinses en Pee

Er was eens een beeldschone prinses die in een heel oud vervallen kasteel woonde.
Doordat ze altijd zo boos keek en steeds wild om zich heen sloeg kreeg ze niet veel bezoek meer. De prinses vond het niet erg, want de mensen verstonden haar toch niet zo goed meer. Op een dag kwam de hovenier langs en vroeg of de geur van de nieuwe rozen haar beviel. Ze stuurde hem boos weg. Wat een sukkel, dacht ze, ik ruik al jaren niets meer.
Uit eenzaamheid stopte ze zich vol met kilo's bonbons. Na verloop van tijd was ze zo rond als een tonnetje en kon ze met lopen haar evenwicht niet meer bewaren.
De prinses was ook lui van aard en door te weinig beweging werd ze zo stijf dat ze bijna niet meer haar bed uit kon komen. De leden van de hofhouding waren inmiddels weggevlucht. Van angst, omdat hun prinses soms urenlang in een bevroren houding kon blijven staan. Slechts één lid van de hofhouding was nog op het kasteel achtergebleven.
Deze lakei was al op leeftijd en het werd voor hem met de dag moeilijker om de prinses te verzorgen. Ook maakte hij zich ernstig zorgen om haar vele valpartijen. Hij hield veel van zijn prinses en dacht terug aan de tijd dat ze nog klein was.
In de zomer huppelde ze dan door de kasteeltuinen en snoof met een verrukte uitdrukking op haar gezicht aan de bloeiende rozen. In de winter schaatste ze met haar vriendinnetjes op de hofvijver. En overal in het kasteel kon iedereen genieten van haar aanstekelijke, warme lach. Het werd tijd, dacht de lakei, dat mijn prinsesje de juiste verzorging krijgt. Enige tijd later verhuisde de prinses naar een kleiner, modern kasteel.

En daar lag ze dan, in een prachtig zijden nachtgewaad, in een hemelbed voorzien van zijden lakens. Ze kon niet meer lopen, praten of eten en ze bibberde alsof ze hele hoge koorts had. Haar hemelbed stond in een lange rij met wel honderd andere hemelbedden en daarin lagen allemaal bibberende prinsessen.
Tegenover de hemelbedden waren enorm grote ramen en de prinsessen keken dan ook de hele dag verlangend naar buiten. Met een blik op hun laptops konden ze het dopamineniveau in de gaten houden. De metertjes bevonden zich inmiddels in de gevarenzone. Nog even... zouden de prinsen op hun witte paarden nog komen? Zouden ze op tijd zijn met de toverspuit?
Het geduld van de prinsesjes werd beloond. Op een dag kwamen in de verte, vanuit de bergen, honderden witte paarden aandraven met allemaal joelende ridders op hun rug. De prinsessen kregen allemaal een anti-Pee-spuit en daarmee is dit verhaaltje uit.

En ze leefden nog lang, gezond en gelukkig.

Nawoord

Het streven om van elke dag een topdag te maken valt niet mee, dat kan ik u uit persoonlijke ervaring vertellen. Het is een proces waar je alleen in kunt groeien als er voldoende wilskracht aanwezig is. Uiteraard kunnen niet alle dagen topdagen zijn; angst speelt vaak een rol, met name als er weer een kleine negatieve verandering in je lichaam plaatsvindt. Angst en paniek kunnen je dan zomaar aanvliegen, en raken je diep.

Angst voor hoe lang het nog duurt voordat je bijvoorbeeld niet meer verstaanbaar zult zijn; voor de eerste meewarige blikken; voor het niet meer kunnen schrijven of typen; angst om overbeweeglijk te worden of juist te bevriezen; angst voor de tijd dat je niet meer kunt fietsen of autorijden. Grote angst om de geestelijke vermogens te verliezen en steeds meer afhankelijk te worden van anderen; en voor een uiteindelijke stereotactische operatie. Maar ook angst voor de vele bijwerkingen van medicijnen, zoals depressies, manies, karakterverandering en hallucinaties; dat klachten en bijwerkingen niet meer van elkaar zijn te onderscheiden, dat pil op pil wordt voorgeschreven...

Als negatieve gevoelens niet worden omgebogen naar positieve gedachten, kan dat tot een ernstige depressie leiden. Het aantal parkinsonpatiënten met een depressie wordt geschat tussen de 40% en 70%! Er wordt veel onderzoek gedaan naar de lichamelijke en sociaalpsychologische oorzaken van depressief gedrag bij mensen met de ziekte van Parkinson. Persoonlijk geloof ik dat, in de meeste gevallen, de oorzaak van deze depressies te vinden zal zijn in de sociaalpsychologische hoek.
Het moeilijk kunnen verwerken van de diagnose; de benadrukking alleen al dat het een progressief invaliderende ziekte is en er tot

op heden geen genezing mogelijk is. Je voor je ziekte schamen; geen begrip ondervinden van je partner of andere mensen om je heen; niet meer buiten durven komen. Het sociale leven stort in en eenzaamheid sluipt binnen.

Het aantal patiënten met een depressie zal alleen maar oplopen als we niets doen. Laten wij om die reden elkaar eens helpen en vooral bemoedigen, zodat ook voor deze mensen de zon weer gaat schijnen. Het stimuleren van lotgenotencontact, door bijvoorbeeld lid te worden van de Parkinson Patiënten Vereniging, is dan ook zeker aan te bevelen. Er zijn natuurlijk meerdere opties welke op korte termijn gerealiseerd kunnen worden: een telefonische hulplijn voor parkinsonpatiënten, een parkinsoncafé voor informele ontmoetingen, speciale workshops waar je leert om positief te denken en opnieuw een levensdoel te vinden. Een neurologen/patiëntenpanel, ter verbetering van de kwaliteit van zorg en leven.

Laten we daarnaast hopen dat er in de nabije toekomst vele gelden beschikbaar zullen komen voor de benodigde onderzoeken. Stamcelonderzoek is weliswaar een omstreden methode, maar kan in de toekomst veel betekenen en dient dan ook bespreekbaar te blijven.

In de tussentijd kunnen we niet stilzitten, maar moeten we in volle vaart vooruit; zelf proberen de kwaliteit van leven te verbeteren, stap voor stap een positieve levensinstelling aan te nemen. En dit is beslist geen taak van die ander... Deze mooie taak ligt geheel en al bij onszelf. Geweldig toch! Zoeken dus naar een levensdoel, talenten benutten en ergens voor gaan! Lukt het niet alleen; zoek dan beslist hulp.

Carpe diem!

Dankwoord

Familie en vrienden wil ik vanuit het diepst van mijn ziel danken voor het begrip, de troost en de bemoediging welke Piet, Veronique en ik hebben mogen ontvangen in de afgelopen jaren na het overlijden van 'ons' moeder, en de daarna bij mij gestelde diagnose Parkinson. Jullie geestdrift, enthousiasme en bereidheid om mijn verhalen te lezen, bevestigen dat men ware familie en vrienden niet alleen herkent aan het delen van verdriet maar ook aan de oprechte vreugde om andermans geluk.
Mijn 'deuren' houd ik in de toekomst mooi gesloten... maar mijn hart en een fles wijn staan voor jullie altijd geopend!

Oneindig veel dank aan 6 zeer speciale mensen bij wie bemoediging van de medemens op de eerste plaats komt. Ieder afzonderlijk hebben jullie met succes gewerkt aan 'de wederopbouw'.

- mijn echtgenoot Piet. Mijn rots in de branding die een eeuwig vertrouwen in mij heeft en mij altijd weet te sturen en te enthousiasmeren in al mijn plannen.
- mijn dochter Veronique. Voor haar bijzonder positieve levensinstelling en aanstekelijke enthousiasme. Ondanks haar drukke leven altijd gretig om een nieuwe Pee te lezen.
- mijn vriendin voor het leven, Yvonne Ubink. Voor het onuitputtelijke vermogen te luisteren, te troosten en te bemoedigen in de vele urenlange telefoongesprekken. Je was er... en je bent er.
- Dolly, mijn yogapedagoge. Zij heeft mij met andere dimensies laten kennismaken waardoor mijn leven completer is geworden. Haar vertrouwen in mij heeft me gesterkt om verder te gaan.
- Deepak Chopra, wiens boeken ik zal blijven herlezen.
- ds. R.H. Schuller en ds. R.A. Schuller. De tv-uitzendingen hebben mij niet alleen een 'Mountain' gegeven, maar ook de benodigde wind in de zeilen. Wauw!

Dank aan Louise van der Valk, hoofdredactrice van verenigingsblad *Papaver*, voor het publiceren van mijn eerste verhalen.
Ik ben er reuze trots op.

Dank aan alle medewerkers van Uitgeverij Inmerc voor de totstandkoming van het boek *Pee en ik*. Jullie hebben er iets moois van gemaakt!
Mijn innige dank aan Frits Poiesz voor zijn opbouwende kritiek, geduld en moed om samen met mij aan een boek over Parkinson te willen werken; ik beschouw het als een hele eer dat je er vanaf het begin het volste vertrouwen in had.

Dirma

Parkinson Patiënten Vereniging

De meest voorkomende symptomen van de ziekte van Parkinson zijn tremor, stijfheid, traagheid, moeilijk lopen of een star gezicht . Daarnaast krijgen veel parkinsonpatiënten te maken met een depressie of een isolement, het sociaal functioneren lukt niet meer goed en de communicatie wordt moeilijk.
Tegen deze achtergrond is in 1977 de Parkinson Patiënten Vereniging opgericht met als doel de kennis over de ziekte te vergroten en begrip te kweken voor de patiënten.Daarnaast stimuleert de vereniging het contact tussen lotgenoten, zowel patiënten als partners en organiseert ze voor de ruim 7500 leden allerlei activiteiten.

Lotgenotencontact door de vorming van contactgroepen in het hele land, is het belangrijkste doel van de vereniging. Bij dit vrijwilligerswerk zijn zo'n 200 regionale contactpersonen betrokken. Op de bijeenkomsten die zij organiseren komen o.a. deskundigen spreken over verschillende aspecten van de ziekte van Parkinson. Onderling telefonisch contact speelt bij het lotgenotencontact ook een belangrijke rol. De uitwisseling van ervaringen zijn voor de leden zeer waardevol.
Voor alleenwonenden is er een eigen begeleidingstraject dat rekening houdt met hun specifieke problematiek. Patiënten tot 56 jaar, de zogenaamde Yoppers (Young Onset Parkinsonians), houden ook eigen bijeenkomsten.

De spreekbeurten die de vereniging voor o.a. artsen, thuiszorg medewerkers en verpleegkundigen organiseert, worden vaak door patiënten gegeven. Dit geeft deze hulpverleners een beter inzicht in de noden en behoeften van de parkinsonpatiënt.

Zesmaal per jaar verschijnt het verenigingsblad *Papaver*. De vereniging geeft folders, boeken en brochures uit en organiseert lezingen. Een medische adviesraad en een adviesraad gericht op verbetering van de zorg, staan het bestuur ter zijde.

Voor het financieren en stimuleren van onderzoek naar de oorzaken en de behandeling van de ziekte, kan de Parkinson Patiënten Vereniging beschikken over speciale fondsen. De vereniging is aangesloten bij het Prinses Beatrix Fonds en wordt mede gesubsidieerd door het Fonds PGO.
Voor internationale samenwerking en uitwisseling van informatie is zij lid van de European Parkinson's Disease Association (EPDA).

Literatuur:

Zeer uitgebreide informatie vindt u in het zorgboek *Ziekte van Parkinson.*
Er is ook een cd-rom "Ziekte van Parkinson" verkrijgbaar. Beide uitgegeven door de Stichting September en zijn onder betaling verkrijgbaar bij uw apotheek.
Voor meer informatie: www.boekenoverziekten.nl.

Spieren in de vertraging. Alles over de ziekte van Parkinson in de serie 'Spreekuur Thuis' is een uitgave van Inmerc bv in samenwerking met de Parkinson Patiënten Vereniging.
Auteurs: drs. Wiebe Braam, huisarts, en drs. Ewout Brunt, neuroloog. Voor meer informatie: www.spreekuurthuis.nl

Via de Parkinson Patiënten Vereniging is een literatuurlijst verkrijgbaar en zijn diverse brochures en boekjes (tegen geringe betaling) te bestellen.

Adressen:

European Parkinson's Disease Assocation (EPDA)
4, Golden Road
Sevenoaks
Kent
TN13 3NJ.UK
www.epda.eu.com

Parkinson Patiënten Vereniging
Postbus 46
3980 CA Bunnik
tel. 030-656 1369
fax 030-657-1306
e-mail: info@parkinson-vereniging.nl
www.parkinson-vereniging.nl

Prinses Beatrix Fonds
Javastraat 86
2585 AS DEN HAAG
www.beatrix.nl
telefoon: 070-3 607 607
e-mail: info@beatrix.nl

Internetsites:

www.belastingdienst.nl Telefoon: 0800-0543.

www.kiesbeter.nl Zorgverzekeringen Wijst u de weg in de zorg

www.lareb.nl Het Nederlands Bijwerkingen Centrum LAREB is de instantie die alle bijwerkingen van geneesmiddelen in Nederland verzamelt. Zorgverleners en patiënten kunnen bijwerkingen van alle medicijnen hier melden.

www.mee.nl Mee is er voor iedereen met een beperking.
Mee adviseert, ondersteunt en wijst de weg.
Telefoon: 0900-999 8888.

www.parkinsonweb.nl Alles over parkinson. Een initiatief van Parc Nijmegen.

www.thuiszorg.nl voor bijvoorbeeld huishoudelijke/persoonlijke verzorging, uitleen verpleeg- en hulpmiddelen, etc.

www.valys.nl Heeft u een mobiliteitsbeperking heeft en is alleen reizen met het openbaar vervoer niet goed te doen? Voor korte afstanden is er in veel plaatsen een regiotaxi. Wilt u verder van huis, dan is er Valys. Telefoon: 0900-9630.

www.ziekenmondig.nl Reisgids voor de werknemer.
Wat en hoe bij ziekte en werk.
Telefoon: 020-4800300,
e-mail: info@ziekenmondig.nl.

Pee en ik is een uitgave van Inmerc bv te Wormer
www.inmerc.nl

Eindredactie: tekst_support, Andrea Voigt
Vormgeving: Inmerc, Loek de Leeuw
Auteursfoto's: Mike Bink Fotografie
Redactie en productie: Inmerc bv, Wormer

ISBN 978 90 6611 786 0
NUR 860